中华人民共和国国家标准

吹填土地基处理技术规范

Technical code for ground treatment of hydraulic fill

GB/T 51064-2015

主编部门：中华人民共和国住房和城乡建设部
批准部门：中华人民共和国住房和城乡建设部
施行日期：2 0 1 5 年 1 1 月 1 日

中国计划出版社

2015 北 京

中华人民共和国国家标准

吹填土地基处理技术规范

GB/T 51064 - 2015

☆

中国计划出版社出版

网址：www. jhpress. com

地址：北京市西城区木樨地北里甲 11 号国宏大厦 C 座 3 层

邮政编码：100038　电话：(010) 63906433（发行部）

新华书店北京发行所发行

北京市科星印刷有限责任公司印刷

850mm×1168mm　1/32　4.25 印张　106 千字

2015 年 9 月第 1 版　2015 年 11 月第 2 次印刷

☆

统一书号：1580242 · 730

定价：26.00 元

中华人民共和国住房和城乡建设部公告

第 781 号

住房城乡建设部关于发布国家标准 《吹填土地基处理技术规范》的公告

现批准《吹填土地基处理技术规范》为国家标准,编号为 GB/T 51064—2015,自 2015 年 11 月 1 日起实施。

本规范由我部标准定额研究所组织中国计划出版社出版发行。

中华人民共和国住房和城乡建设部

2015 年 3 月 8 日

前　　言

根据住房城乡建设部《关于印发〈2011年工程建设标准规范制订、修订计划〉的通知》(建标〔2011〕17号)的要求,规范编制组经广泛调查研究,认真总结实践经验,参考国外先进标准,与国内相关标准协调,并在广泛征求意见的基础上,编制本规范。

本规范的主要技术内容是:总则、术语和符号、基本规定、吹填场地形成、吹填场地勘察、压实法、堆载预压法、真空预压法、强夯法、振动水冲法、固化法、电渗排水法。

本规范由住房城乡建设部负责管理,由河海大学负责具体技术内容的解释。执行过程中如有意见或建议,请寄送河海大学(地址:江苏省南京市西康路1号河海大学土木与交通学院,邮政编码:210098)。

本规范主编单位、参编单位、主要起草人和主要审查人:

主 编 单 位:河海大学

上海港湾基础建设(集团)有限公司

参 编 单 位:中国建筑科学研究院

中冶建筑研究总院

重庆大学

浙江大学

中交四航工程研究院有限公司

中交天津港湾工程研究院有限公司

中交天津港航勘察设计研究院有限公司

现代设计集团上海申元岩土工程有限公司

浙江省水利水电勘测设计院

长江航道局

華中科技大学

天津大学

武汉大学

中交一公局第三工程有限公司

河北建设勘察研究院有限公司

上海远方基础工程有限公司

温州泰昌电力建筑安装有限公司

江苏华宏实业集团有限公司

主要起草人：刘汉龙　　钱力航　　沈　扬　　周国钧　　徐士龙

楼晓明　　叶国良　　刁海岛　　水伟厚　　陈　舟

曾　甄　　丁选明　　刘爱民　　王建平　　邹维列

蔡袁强　　郑俊杰　　郑　刚　　洪振舜　　袁文喜

白　明　　厉　涛　　庄艳峰　　聂庆科　　李进军

张功新　　周　琦　　陈育民　　黄文君　　郭　杨

李　文　　刘忠池　　陈学寿　　胡品飞

主要审查人：王梦恕　　顾晓鲁　　李广信　　滕延京　　高文生

侯伟生　　唐建华　　董志良　　叶观宝　　杨成斌

卢永金

目　　次

Contents

1 总　　则

1.0.1 为在吹填土地基处理的勘察、设计、施工和质量检验中贯彻执行国家的技术经济政策，做到安全适用、技术先进、经济合理、保证质量、保护环境，制定本规范。

1.0.2 本规范适用于吹填土地基处理的勘察、设计、施工和质量检验。

1.0.3 吹填土地基处理应坚持因地制宜、就地取材和节约资源的原则。

1.0.4 吹填土地基处理除应符合本规范外，尚应符合国家现行有关标准的规定。

2 术语和符号

2.1 术　　语

2.1.1　吹填土　hydraulic fill

用挖(吸)泥船通过泥浆泵和管道将含有大量水分的泥砂输送到海(江、河、湖)岸等指定区域而形成的沉积土。

2.1.2　吹填土地基　hydraulic fill ground

通过吹填方式形成的地基。

2.1.3　无砂垫层　plastic pipe cushion

通过打插塑料排水板和布置水平管道，并用连接器将塑料排水板露出部分紧密连接到水平管道上而形成的水平排水垫层。

2.1.4　覆水预压　overlying water preloading

以水作为上覆荷载，对拟加固地基进行预压。

2.1.5　压实法　compaction

利用碾压设备使地基土密实的地基处理方法。

2.1.6　堆载预压法　preloading with surcharge of fill

利用上覆荷载对地基土进行预压，使其固结压密的地基处理方法。

2.1.7　真空预压法　vacuum preloading

通过对覆盖于竖向排水体地表的封闭薄膜内抽真空排水，使地基土固结压密的地基处理方法。

2.1.8　振动水冲法　vibroflotation

在振冲器水平振动和高压水的共同作用下，使松砂土层振密，或在软弱土层中形成碎石等粗粒料加强体，并与原地基土组成复合地基的地基处理方法。

2.1.9　强夯法　dynamic consolidation

将重锤提到高处使其自由落下,给地基以冲击和振动能量,将地基土密实的地基处理方法。

2.1.10 固化法 solidification

向土中掺入固化剂,通过固化剂的凝结作用改善土性状的地基处理方法。

2.1.11 电渗排水法 electro-osmotic drainage

通过在地基中插入阴、阳电极并通以直流电,在电场作用下,地基土中的自由水及部分弱结合水产生电渗流从阳极流向阴极,并经阴极排出地面,降低地基土的含水率、提高其强度的地基处理方法。

2.2 符 号

2.2.1 作用和作用效应

p_0——土的自重应力;

p_c——前期固结压力;

S——沉降量;

U——固结度,电压;

u——孔隙水压力。

2.2.2 抗力和材料性能

a——压缩系数;

C_c——压缩指数;

C_s——回弹指数;

C_a——次固结系数;

C_h——径向固结系数;

C_v——竖向固结系数;

c——黏聚力;

E——变形模量;

E_s——压缩模量;

e——孔隙比;

f_{spk} ——振冲桩复合地基承载力特征值；

g ——重力加速度；

I ——电流强度；

k ——地基土的渗透系数；

k_e ——地基土的电渗透系数；

R ——地基土电阻；

w ——含水率；

γ ——土的重度；

γ' ——土的浮重度；

ρ ——密度，电阻率；

τ_f ——抗剪强度；

φ_{cu} ——固结不排水内摩擦角。

2.2.3 几何参数

b ——塑料排水板宽度，相同性质电极（正极或负极）的间距；

D ——桩身平均直径；

D_e ——单根桩分担的处理地基面积的等效圆直径；

d ——土的颗粒粒径；

d_p ——塑料排水板当量直径；

H ——标高，渗流距离；

h ——土层厚度；

l ——间距；

m ——桩土面积置换率；

δ ——排水体厚度。

2.2.4 计算系数

G ——井阻因子；

J ——涂抹因子；

η ——土体由于剪切蠕动等因素而引起强度衰减的折减系数；

λ ——涂抹比。

3 基 本 规 定

3.0.1 吹填场地应根据所在区域的土地和水域开发规划及吹填区的工程用途进行设计、施工。

3.0.2 在选择吹填土地基处理方案前,应完成下列工作:

    1 搜集已有的取土区和吹填区的岩土工程勘察资料、吹填场地的功能分区;

    2 根据工程要求确定地基处理的目的、范围和各项技术经济指标等;

    3 了解当地地基处理经验、施工条件和应用效果等;

    4 了解吹填区的环境情况,调查邻近建筑、地下工程和有关管线等情况。

3.0.3 吹填土地基处理方法应按下列步骤确定:

    1 应根据使用要求、荷载大小,结合土层结构、土质条件、地下水特征和环境情况等因素进行综合分析,初步选择可行的处理方案,当工程条件差异较大时宜分区进行初选;

    2 对初步选出的各种地基处理方案,分别从加固原理、适用范围、预期处理效果、耗用材料、施工机械、工期要求和对环境的影响等方面进行技术经济分析和对比,选择吹填土地基处理方法;

    3 对已选定的吹填土地基处理方法,应进行现场试验、试验性施工及测试,检验设计参数和处理效果;当设计参数与试验结果不符时,应及时修改设计参数及处理方法。

3.0.4 确定吹填土场地的设计标高时,除应满足工程需要外,尚应预留吹填土场地在形成过程中的沉降量、下卧层的沉降量、施工期间及施工完成后的固结沉降量。

3.0.5 吹填土地基处理的设计计算应按承载能力极限状态验算

地基承载力及稳定性,同时应按正常使用极限状态验算地基变形。

3.0.6 施工中应进行监测,当出现异常情况时,应及时会同有关部门妥善解决。施工结束后应进行工程质量检查和验收。

3.0.7 对于含盐量较高及有机质含量较高的吹填土地基,应评价其处理后对基础耐久性的影响。

4 吹填场地形成

4.1 一般规定

4.1.1 吹填场地设计前，应根据吹填目的及吹填区用途，搜集有关吹填取土区和吹填区周边水文、气象、地形、地貌、吹填土质、吹填区余水的排放条件及周边环境、当地政府对环境保护的要求等基础资料。

4.1.2 吹填场地设计时，应综合分析吹填土场地形成过程中吹填土的沉降量和欠固结特性，吹填土下卧层厚度和压缩性，吹填后建、构筑物对地基的整体沉降影响等因素，确定吹填土场地设计标高。

4.2 吹填场地形成

4.2.1 吹填场地形成可按下列步骤进行：

    1 在天然场地上构筑吹填围堰，形成吹填区；

    2 疏浚船舶通过吹填管线或其他吹填机械将取土区的土料水力输送到吹填区内；

    3 当吹填达到设计标高，排除地表积水后，形成吹填土场地。

4.2.2 吹填区宜根据工程使用要求及地基处理方法进行分区，分区面积可根据吹填区总面积、吹填土料、地基处理方法、施工工艺、现场条件等因素确定。

4.2.3 吹填围堰应进行稳定性分析与验算，保证围堰各施工阶段的稳定性。

4.2.4 吹填围堰设计标准应按吹填区用途及设计使用年限确定。吹填围堰设计应考虑因地基处理造成的沉降。吹填围堰的顶面标高可按下式计算：

$$H = H_R + H_C + H_A \qquad (4.2.4)$$

式中：H ——吹填围堰顶面设计标高（m）；

$\quad H_R$ ——吹填场地设计标高（m）；

$\quad H_C$ ——围堰预留沉降量（m），根据原地基及吹填土性质确定；

$\quad H_A$ ——安全超高（m），可取 0.1m～0.3m。

4.2.5 吹填工程设计时应计算吹填区的地基稳定性、沉降量、吹填土的固结度及超填量，并确定吹填场地设计标高及其允许偏差。

4.2.6 吹填土欠固结应力应按下列公式分层计算，并以最上层吹填土作为第 1 层：

$$p_n = \gamma_0 h_0 + \frac{\gamma_n h_n}{2} - p_{cn} \qquad (n = 1) \qquad (4.2.6\text{-}1)$$

$$p_n = \gamma_0 h_0 + \sum_{i=1}^{n-1} \gamma_i h_i + \frac{\gamma_n h_n}{2} - p_{cn} \quad (n \geqslant 2) \quad (4.2.6\text{-}2)$$

式中：p_n ——第 n 层吹填土的欠固结应力（kPa）；

$\quad \gamma_0$ ——吹填土上的覆盖土层的重度（kN/m³）；

$\quad h_0$ ——吹填土上的覆盖土层的厚度（m）；

$\quad \gamma_i$ ——第 i 层吹填土的重度，地下水位以下取浮重度（kN/m³）；

$\quad \gamma_n$ ——第 n 层吹填土的重度，地下水位以下取浮重度（kN/m³）；

$\quad h_i$ ——第 i 层吹填土的厚度（m）；

$\quad h_n$ ——第 n 层吹填土的厚度（m）；

$\quad p_{cn}$ ——第 n 层吹填土的前期固结压力（kPa），应通过试验确定。

4.2.7 吹填土层处理前的压缩量可按下列公式计算：

$$S = S_c + S_s \qquad (4.2.7\text{-}1)$$

$$S_c = \sum_{i=1}^{n} \frac{a_i}{1 + e_{0i}} p_i h_i U_i \qquad (4.2.7\text{-}2)$$

$$S_s = \sum_{i=1}^{n} \frac{C_{ai}}{1 + e_{0i}} \cdot \lg(\frac{t}{t_1}) \cdot h_i \qquad (4.2.7\text{-}3)$$

式中：S ——吹填土层的压缩量（m）；

S_c——吹填土层的主固结压缩量(m);

S_s——吹填土层的次固结压缩量(m);

a_i——第 i 层吹填土的压缩系数(kPa^{-1});

e_{0i}——第 i 层吹填土的初始孔隙比;

C_{ai}——第 i 层吹填土的次固结系数,应通过试验确定;

p_i——第 i 层吹填土的欠固结应力(kPa);

U_i——第 i 层吹填土的固结度,应通过试验确定;

t_1——主固结度达到100%所需的时间;

t——计算次固结沉降的时间,当主固结度已达到100%时,取 t 为固结发生总时间,当主固结小于100%时,取 $t=t_1$。

4.2.8 原地基吹填后的沉降量可按下列公式计算:

$$S_d = \sum_{i=1}^{n} \frac{a_i}{1 + e_{0i}} p h_i U_i \qquad (4.2.8\text{-}1)$$

$$p = \gamma_0 h_0 + \sum_{i=1}^{n} \gamma_i h_i \qquad (4.2.8\text{-}2)$$

式中:p——原地基土中的附加应力(kPa);

S_d——原地基吹填后的沉降量(m);

a_i——第 i 层原地基土的压缩系数(kPa^{-1}),应通过试验确定;

e_{0i}——第 i 层原地基土的初始孔隙比,应通过试验确定;

h_i——第 i 层原地基土的厚度(m),以原地基最上层土为第1层;

U_i——第 i 层原地基土的固结度,应通过试验确定。

4.2.9 吹填场地设计标高可按下式计算:

$$H_R = H_d + \Delta h_1 + \Delta h_2 \qquad (4.2.9)$$

式中:H_R——吹填场地设计标高(m);

H_d——吹填场地使用标高(m);

Δh_1——吹填土层的压缩量(S)及原地基沉降量(S_d)之和,

S、S_d 分别按本规范第 4.2.7、4.2.8 条或根据工程经验确定(m);

Δh_2——吹填土因工后沉降而需增加的超填高度(m),根据上部结构和处理方法按计算沉降量或工程经验确定。

4.2.10 吹填工程设计尚应符合现行行业标准《疏浚与吹填工程设计规范》JTS 181-5 和《疏浚与吹填工程施工规范》JTS 207 的有关规定。

4.2.11 吹填施工前应根据工程设计要求,结合现场条件和工程特点,编写吹填施工组织设计。

4.2.12 吹填施工组织设计应根据取土区与吹填区距离、吹填土质等因素设计吹填施工方式,配置吹填施工船舶、设备。吹填施工组织设计尚应根据吹填后地基处理的要求,编制围堰施工、吹填管线架设等实施方案。

4.2.13 吹填区内管线和排水口的布设应根据吹填区地形、几何形状、吹填土质的特性等条件,按有利于吹填土沉淀、吹填土质均匀分布、吹填平整度好、余水含泥量低及利于吹填后地基处理施工的原则确定。

4.2.14 吹填围堰可分为黏土围堰、砂土围堰、抛石围堰、袋装土围堰、土工织物充填袋围堰、混合材料围堰等。各种围堰的适用范围及施工应符合现行行业标准《疏浚与吹填工程设计规范》JTS 181-5 和《疏浚与吹填工程施工规范》JTS 207 的有关规定。

4.2.15 新建围堰施工应由低处开始逐层填筑,就地取土地点应在围堰两侧的安全距离以外。

4.2.16 吹填围堰高度较大时可分层吹填。分层处理时,宜采取围堰吹填与场地吹填相结合的施工方法。

4.2.17 吹填施工前应对吹填区场地、围堰底部的杂物进行清理。对已有的围堰、排水口、排水通道等应进行验收确认,不符合设计或使用要求的应进行修补或拆除。

4.2.18 吹填施工的分区分层应根据取土区土层的分布状况、挖泥设备性能、输泥距离等因素综合确定。

4.2.19 吹填施工宜一次吹填至设计标高,当遇下列情况时可分层吹填:

1 设计要求不同时间达到不同的吹填标高时;

2 不同的吹填标高有不同的土质要求或需对不同土质进行分层地基处理时;

3 吹填区底部为淤泥类土,吹填易引起底泥推移造成淤泥集中时;

4 围堰高度不足,需用吹填土在吹填区分层修筑围堰时;

5 其他不适合一次性吹填的情形。

4.2.20 在软土场地上进行吹填时,应根据设计要求和现场观测数据,控制吹填加载的速率。

4.2.21 吹填区工程及吹填围堰施工时应对吹填区的沉降、围堰的沉降与位移进行观测。具有护岸功能的永久性围堰工程的沉降和位移观测应符合国家现行行业标准《水运工程水工建筑物原型观测技术规范》JTJ 218 和《水运工程测量规范》JTS 131 的有关规定。测量应采用统一的平面与高程控制系统。

4.2.22 吹填施工的方法、步骤及要求尚应符合国家现行行业标准《疏浚与吹填工程施工规范》JTS 207 的规定。

5 吹填场地勘察

5.1 一般规定

5.1.1 吹填取土区勘察应查明区内各类土的分布、性状和作为吹填土料的适用性，宜选择优质土、砂作为吹填料。

5.1.2 吹填区勘察应根据吹填土地基处理后的用途及地基处理要求查明吹填区原岩土层及吹填土层的分布特点、岩土性质、水、土的化学成分及腐蚀性等工程地质条件。

5.1.3 吹填区勘察除应提供吹填土地基处理设计和施工所需的相关地质资料外，尚应提出吹填土地基处理方法的建议。

5.1.4 吹填土应根据填料性质进行分类，根据分类结果选择合适的处理方法。

5.2 吹填前场区勘察

5.2.1 吹填前场区勘察应根据工程的性质、规模、现场地质条件等因素完成下列工作：

    1 划分地质、地貌单元；

    2 查明场区岩土层性质、分布规律、形成年代、成因类型、基岩的风化程度及埋藏条件；

    3 查明与工程有关的地质构造和地震情况；

    4 查明现场不良地质现象的分布范围、发育程度和形成原因；

    5 查明透水砂层水平及垂直方向的分布；

    6 查明地下水类型、埋深条件、含水层性质、化学成分，调查水位变化幅度、补给与径流；

    7 提供地基变形计算参数，进行场区地基沉降计算；

8 分析场地各区段工程地质条件,分析评价场区围堰及地基的稳定性、均匀性,推荐适宜建设地段。

5.2.2 吹填前场区勘测点间距应符合下列规定:

1 吹填前场区勘察应根据不同勘察阶段的要求、区域地形地貌和地质复杂程度等布置勘探线、点;

2 吹填前场区勘探线宜按网格形布置,围堰勘探线宜沿轴线布置;

3 吹填前场区勘察的勘探线、点间距应按表5.2.2确定,特殊地质条件地区可根据工程需要加密勘探线、点,勘探线、点应布置在最新的地形图上;

4 每个吹填区钻孔数量不应少于3个。

表 5.2.2 吹填前场区勘察勘探线、点间距

阶段	工程地区	地质条件	定 义	勘探线间距(m)或条数	勘探点间距(m)
可研阶段	吹填区	复杂	地形起伏大,岩土性质变化大,地貌单元多	300~1500	300~1500
		一般	地形有起伏,岩土性质变化较大		
		简单	地形平坦,岩土性质单一,地貌单一		
	围堰	复杂	地形起伏大,岩土性质变化大,地貌单元多	沿轴线1条	100~300
		一般	地形有起伏,岩土性质变化较大		
		简单	地形平坦,岩土性质单一,地貌单一		
初设阶段	吹填区	复杂	地形起伏大,岩土性质变化大,地貌单元多	200~300	100~200
		一般	地形有起伏,岩土性质变化较大	300~600	300~600
		简单	地形平坦,岩土性质单一,地貌单一	600~1000	600~1000
	围堰	复杂	地形起伏大,岩土性质变化大,地貌单元多	沿轴线1条~3条;横断面2点~3点	20~50
		一般	地形有起伏,岩土性质变化较大		50~100
		简单	地形平坦,岩土性质单一,地貌单一		100~200

阶段	工程 地区	地质 条件	定　义	勘探线间 距(m) 或条数	勘探点 间距(m)
施工 图阶 段	吹 填 区	复杂	地形起伏大,岩土性质变化大,地貌单元多	100~200	50~100
		一般	地形有起伏,岩土性质变化较大	200~500	200~500
		简单	地形平坦,岩土性质单一,地貌单一	500~1000	500~1000
	围 堰	复杂	地形起伏大,岩土性质变化大,地貌单元多	沿轴线 1条~3条; 横断面 2点~3点	≤50
		一般	地形有起伏,岩土性质变化较大		≤75
		简单	地形平坦,岩土性质单一,地貌单一		≤150

5.2.3 吹填前场区勘察钻孔深度应根据工程类型、工程等级、场地工程地质条件、吹填土对原岩土层影响等因素确定,并应符合下列规定:

　　1 吹填前场区勘察的钻孔深度应根据设计吹填厚度、现场地质状况、吹填土特性等因素确定,一般性钻孔宜为 10m~20m,控制性钻孔宜为 20m~30m;

　　2 围堰位置的钻孔深度应根据围堰的高度、作用和结构等因素确定。一般性钻孔深度宜为 15m~25m,控制性钻孔深度为 35m~40m。在预定勘探深度内遇 Q_3 以前地质年代坚硬的老土层、碎石土层、强风化岩层时,勘探深度可酌减,但进入勘探深度可酌减岩土层的深度不应小于 2m。

5.2.4 吹填区勘察应采用钻探、原位测试和室内试验相结合的方法。

5.2.5 钻探、取样及原位测试操作方法应符合现行国家标准《岩土工程勘察规范》GB 50021 的有关规定。

5.2.6 吹填前场区勘察资料整理应符合下列规定:

　　1 吹填前场区勘察岩土单元体的划分应根据其形成时代、成因类型、岩土特征、原位测试和室内试验成果等综合确定;

　　2 岩土物理力学指标应采用数理统计方法进行整理、分析,指标统计方法应符合现行国家标准《岩土工程勘察规范》GB 50021的有关规定。

5.2.7 吹填前场区勘察报告应包括下列内容：

   1 勘察工作的依据、目的和任务；

   2 拟建工程概况；

   3 勘察工作布置和技术要求；

   4 勘察工作完成情况；

   5 场地地形、地貌、岩土分布情况；

   6 岩土物理力学指标统计、分析和选用；

   7 吹填前场区不良地质作用和特殊性岩土的描述和评价；

   8 吹填前场地地下水评价；

   9 吹填区场地适宜性评价，吹填围堰稳定性评价。

5.3 吹填后场地勘察

5.3.1 吹填后场地勘察应在吹填前场区勘察的基础上，根据地基处理工程需要完成下列工作：

   1 划分吹填土地貌单元；

   2 查明吹填土层的分布特点和吹填土性质；

   3 查明吹填土层的厚度、水平和垂直方向的分布范围及相应物理力学性质指标；

   4 查明吹填土的颗粒组成、均匀性及其水平和垂直方向的分布范围及相应物理力学性质指标；

   5 查明吹填场地地下水、土的化学成分及对建筑材料的腐蚀性；

   6 查明周边环境条件与吹填土地基处理工程的相互影响关系；

   7 分析评价吹填后场地各区段工程地质条件，建议地基处理方案。

5.3.2 吹填后场地勘测点间距应符合下列规定：

   1 吹填后场地勘察宜根据吹填管口的位置布置勘探线、点；

2 吹填后场地勘探线宜按网格形布置；

3 吹填后场地勘察的勘探线、点间距可按表5.3.2确定，勘探线、点应布置在吹填后的地形图上；

4 吹填后，每个吹填分区钻孔数量不应少于3个。

表5.3.2 吹填后场地勘察勘探线、点间距

工程地区	地质条件	定 义	勘探线间距（m）	勘探点间距（m）
吹填区	复杂	吹填后地形起伏大，吹填土水平分布不均匀，吹填土性质变化大	50～100	30～50
	一般	吹填后地形有起伏，吹填土水平分布较均匀，吹填土性质变化较大	75～150	50～75
	简单	吹填后地形平坦，吹填土水平分布均匀，吹填土性质单一	150～300	75～150

5.3.3 吹填后场地钻孔深度应根据吹填土厚度、吹填土对原岩土层影响等因素确定。一般性钻孔应穿透吹填层，进入原岩土层2m～3m；控制性钻孔应进入原岩土压缩层底面下1m～3m。

5.3.4 吹填后场地勘察宜采用下列方法：

1 吹填土为碎石土类时，宜采用动力触探试验等原位测试方法并采取扰动土样进行颗粒分析；

2 吹填土为砂土类、粉土类时，宜采用静力触探试验、动力触探试验、现场抽水试验及标准贯入试验等原位测试方法并采取扰动土样进行颗粒分析；

3 吹填土为黏性土类时，宜采用钻探取样与十字板剪切试验、标准贯入试验、现场抽水试验及静力触探试验等测试方法；

4 吹填土为淤泥、淤泥质土类时，宜采用轻型钻机钻探取样进行十字板剪切试验；

5 吹填土为混合土类时，宜采用钻探取样方法并根据混合土质情况，采用静力触探试验、动力触探试验、现场抽水试验或标准

贯入试验等原位测试方法。

5.3.5 钻探、取样及原位测试操作方法应符合现行国家标准《岩土工程勘察规范》GB 50021 的有关规定。

5.3.6 吹填后场地勘察资料整理应符合下列规定：

1 吹填后场地勘察土单元体的划分应根据吹填土特性、分布及原位测试和室内试验成果等综合确定。

2 吹填后场地勘察原位测试和室内试验数据的应用应结合地基处理工程进行。根据不同吹填土质，不同的地基处理方法、工艺分别有所侧重。

3 吹填土物理力学指标应采用数理统计方法进行整理、分析。指标统计方法应符合现行国家标准《岩土工程勘察规范》GB 50021的有关规定。

5.3.7 吹填后场地勘察报告应包括下列内容：

1 勘察工作的依据、目的和任务；

2 拟建工程概况；

3 勘察工作布置和技术要求；

4 勘察工作完成情况；

5 吹填场地地形、地貌、吹填土分布情况；

6 吹填土物理、力学、化学指标统计、分析和选用；

7 吹填土的均匀性、压缩性及特殊性的描述和评价；

8 评价场地水、土对建筑材料的腐蚀性，具有腐蚀性时，提出采取抗腐蚀措施的建议；

9 根据吹填后地基使用要求，提出吹填土地基处理方法和处理深度的建议；

10 对工程施工和使用期可能发生的岩土工程问题进行预测，提出监控和预防措施的建议。

5.4 吹填土土工试验

5.4.1 吹填土的土工试验应符合现行国家标准《土工试验方法标

准》GB/T 50123 的相关规定。吹填场地水、土对建筑材料的腐蚀性评价应按现行国家标准《岩土工程勘察规范》GB 50021 的有关规定执行。

5.4.2 土工试验的试验项目应根据工程需要和吹填土性质、特点确定,并应符合下列规定:

    1 吹填取土区土工试验项目应按现行行业标准《疏浚与吹填工程设计规范》JTS 181-5 有关规定执行;

    2 吹填区土工试验项目宜按表 5.4.2 确定。

表 5.4.2　吹填区土工试验项目分类表

试验类别	试验指标	试验项目	参数及曲线	适用土类
常规试验	物理指标	含水率、密度、比重	含水率、密度、比重	黏性土、淤泥质土、淤泥、流泥、浮泥、粉土、粉细砂、混合土
		界限含水率	液限、塑限、塑性指数、液性指数	粉土、黏性土、淤泥质土、淤泥、流泥、浮泥、混合土
		颗粒分析(比重计分析)	不均匀系数、曲率系数、黏粒含量、粒径分布曲线	各类土
	力学指标	直接快剪	内摩擦角、黏聚力、抗剪强度与垂直压力关系曲线	渗透系数小于1.0×10⁻⁶cm/s且土质均匀的黏性土
		直接固结快剪	内摩擦角、黏聚力、抗剪强度与垂直压力关系曲线	黏性土、淤泥质土、粉土、适合的混合土
		自然休止角	干休止角、水下休止角	砂土、混合土
		无侧限抗压强度	抗压强度、灵敏度	黏性土、淤泥质土

试验类别	试验指标	试验项目		参数及曲线	适用土类
常规试验	力学指标	快速固结		$e \sim p$ 曲线、压缩系数、压缩模量	黏性土、淤泥质土、粉土、适合的混合土
特殊试验	水理指标	渗透	变水头	垂直向和水平向渗透系数	黏性土、粉土、适合的混合土
			常水头	渗透系数	砂土、混合土
			现场抽水试验	渗透系数	黏性土、砂土、粉土、适合的混合土
	力学指标	三轴压缩试验	不固结不排水剪（UU）	不固结不排水剪强度	黏性土、淤泥质土、粉土、砂土、混合土
			固结不排水剪测孔隙水压力（CU）固结不排水剪（CU）	有效应力内摩擦角、有效应力黏聚力、总应力内摩擦角、总应力黏聚力、固结不排水剪有效应力和总应力强度包线	黏性土、淤泥质土、粉土、砂土、混合土
			固结排水剪（CD）	内摩擦角、黏聚力、固结排水剪强度包线	黏性土、淤泥质土、粉土、砂土、混合土
		标准固结		$e \sim p$ 曲线、$e \sim \lg p$ 曲线、前期固结压力、超固结比、压缩指数、回弹指数、竖向和水平向固结系数、次固结系数	黏性土、淤泥质土、适合的混合土
	物理指标	相对密度		最大干密度、最小干密度	砂土
	化学指标	pH 值、氯化物、硫酸盐、碳酸盐		pH 值、浓度	地下水及各类土

注：当粉细砂仅在取原状试样时，应进行含水率、密度、直接固结快剪等常规试验。

5.4.3 土粒比重宜采用试验测定,有经验的地区可按经验确定,无经验的地区可按表5.4.3采用。

表5.4.3 土粒的比重经验值

土的名称	黏土	粉质黏土	粉土	粉砂
土粒比重	2.74	2.72	2.70	2.68

5.4.4 当吹填区要求进行渗流分析或地基处理时应进行渗透试验,并应符合下列规定:

1 试验采取的方法、适用土类按本规范表5.4.2确定;

2 透水性很低的淤泥、淤泥质土可通过固结渗透试验确定渗透系数;

3 吹填土水平、垂直向渗透性相差较大时,应分别测定水平向、垂直向渗透系数;

4 土的渗透系数取值宜与现场抽水、注水试验的成果比较后确定。

5.4.5 吹填土抗剪强度试验方法应根据地基处理工程设计和施工要求、工程竣工后地基土状态和土质特性、模拟土层的实际受荷情况和排水条件等选用,并应符合下列规定:

1 对淤泥质土、饱和黏性土,当加荷速率较快时宜采用三轴不固结不排水剪(UU)试验或十字板剪切试验;

2 对加荷速率不快的工程或排水条件好的土层宜采用三轴固结不排水剪(CU)试验或三轴固结排水剪(CD)试验;

3 当考虑吹填土在地基处理施工中或竣工后的实际固结应力对抗剪强度的影响时,应在不同固结应力时取样进行抗剪强度试验;

4 直接剪切试验的方法应根据地基处理加荷方法、加荷速率和吹填土排水条件、土质情况等采用。在选择施加荷重时,应考虑土的状态。

5.4.6 吹填淤泥质土、饱和黏性土宜进行无侧限抗压强度试验。

5.4.7 吹填土固结试验方法应根据地基处理工程需要的设计参数确定,并应符合下列规定:

1 吹填土固结试验宜采用标准固结试验。当仅需测定压缩系数、压缩模量时,可采用快速固结试验,试验的最大压力应大于有效自重压力与附加压力之和。试验成果可用 $e \sim p$ 曲线整理。

2 当考虑吹填土及其原下卧土层应力历史时,试验成果可用 $e \sim \lg p$ 曲线整理,确定前期固结压力并计算压缩指数和回弹指数。需计算回弹指数时,应在估计的前期固结压力之后,进行一次卸荷回弹,再继续加荷,直至完成预定的最后一级压力。

3 吹填土需测定沉降速率、固结系数、次固结系数时,应在需要的压力段按规定的时间顺序测定并记录试样的高度变化,一般土试样宜以每级荷载下 24h 为稳定标准,特殊土试样应以量表读数不大于 0.005mm/h 为稳定标准。

5.4.8 土工试验成果整理应符合下列规定:

1 当整理单项试验结果发现异常数据时,宜进行补充试验。对明显不合理的数据,应查明原因后进行取舍,对取舍后的试验数据,应分别进行计算、绘图、汇总成表。

2 应对汇总的土工试验成果总表和报告进行检查、分析和确认:

1)同一土样不同土性指标之间的匹配性;

2)同一土层相同试验项目指标的离散性;

3)相邻钻孔土层分布及试验结果的合理性;

4)根据当地相同条件土性指标或经验,对试验指标进行最后取舍。

5.4.9 试验报告应包括下列内容:

1 工程概况、试验项目、试验要求及试验条件、完成的工作量;

2 试验过程及有关问题的说明;

3 试验质量的评述;

4 有关附图、表。

5.5 吹填土分类

5.5.1 吹填土可分为粗颗粒土、细颗粒土和混合土三个类别。

5.5.2 粗颗粒土可按颗粒组成及其特征分为碎石土类和砂土类。

5.5.3 细颗粒土可按天然含水率、塑性指数分为粉土类、黏性土类、淤泥质土类、淤泥类、流泥类和浮泥类。

5.5.4 混合土可按不同类土的含量分为淤泥和砂的混合土类、黏性土和砂(或碎石)的混合土类。

5.5.5 吹填土的分类指标应符合表 5.5.5 的规定。

表 5.5.5 吹填土分类表

吹填土分类		土 名	分 类 标 准
粗颗粒土	碎石土类	碎石、卵石	$d>20mm$ 的颗粒含量大于总质量的 50%
		角砾、圆砾	$d>2.0mm$ 的颗粒含量大于总质量的 50%
	砂土类	砾砂	$d>2.0mm$ 的颗粒含量占总质量的 25%～50%
		粗砂	$d>0.5mm$ 的颗粒含量大于总质量的 50%
		中砂	$d>0.25mm$ 的颗粒含量大于总质量的 50%
		细砂	$d>0.075mm$ 的颗粒含量大于总质量的 85%
		粉砂	$d>0.075mm$ 的颗粒含量大于总质量的 50%
细颗粒土	粉土类	粉土	$d>0.075mm$ 的颗粒含量小于总质量的 50%　$I_P \leqslant 10$
	黏性土类	粉质黏土	$10<I_P \leqslant 17$
		黏土	$I_P>17$
	淤泥质土类	淤泥质粉质黏土	$36\% \leqslant w<55\%$　$1.0<e \leqslant 1.5$　$10<I_P \leqslant 17$
		淤泥质黏土	$36\% \leqslant w<55\%$　$1.0<e \leqslant 1.5$　$I_P>17$
	淤泥类	淤泥	$55\% \leqslant w \leqslant 85\%$　$1.5<e \leqslant 2.4$　$I_P>17$
	流泥类	流泥	$85\%<w \leqslant 150\%$　$I_P>17$
	浮泥类	浮泥	$w>150\%$　$I_P>17$

吹填土分类		土 名	分 类 标 准
混合土	淤泥和砂的混合土类	淤泥混砂	干土中淤泥质量超过总质量的30%
		砂混淤泥	干土中淤泥质量超过总质量10%且小于或等于总质量的30%
	黏性土和砂（或碎石）的混合土类	黏性土混砂	干土中黏性土质量超过总质量的40%
		砂混黏性土	干土中黏性土质量超过总质量10%且小于或等于总质量的40%
		黏性土混碎石	干土中黏性土质量超过总质量的40%
		碎石混黏性土	干土中黏性土质量超过总质量10%且小于或等于总质量的40%

5.5.6 吹填土地基处理方法的适宜性应根据吹填土性质及分类，结合不同地基处理方法的工艺特点，按表 5.5.6 的规定判定。

表 5.5.6 不同性质吹填土对处理方法的适宜性

地基处理方法 吹填土分类		压实法	堆载预压法	真空预压法	强夯法	振冲法	固化法	电渗排水法
粗颗粒土	碎石土类	宜	宜	不宜	宜	可	不宜	不宜
	砂土类	宜	宜	不宜	宜	宜	不宜	不宜
细颗粒土	粉土类	宜	可	不宜	宜	宜	不宜	不宜
	黏性土类	不宜	软黏性土可	软黏性土可	不宜	黏性土可，软黏性土经试验后确定	软黏性土可	软黏性土可
	淤泥质土类	不宜	宜	宜	不宜	经试验后确定	宜	宜
	淤泥类	不宜	宜	宜	不宜	不宜	宜	宜
	流泥类	不宜	宜	宜	不宜	不宜	宜	宜
	浮泥类	不宜	宜	宜	不宜	不宜	宜	宜

地基处理方法 吹填土分类		压实法	堆载预压法	真空预压法	强夯法	振冲法	固化法	电渗排水法
混合土	淤泥和砂的混合土类	不宜	可	不宜	宜	不宜	不宜	不宜
	黏性土和砂（或碎石）的混合土类	可	不宜	不宜	宜	可	不宜	不宜

5.5.7 土的鉴定及评价应按国家现行标准《岩土工程勘察规范》GB 50021 和《疏浚与吹填工程设计规范》JTS 181-5 有关规定执行。

6 压 实 法

6.1 一 般 规 定

6.1.1 压实法适用于处理粗颗粒土、黏性土与砂或碎石混合的吹填土地基。

6.1.2 吹填土压实可采用碾压法、振动压实法和冲击碾压法。碾压法宜用于地下水位以上强度较高的吹填土地基;振动压实法宜用于吹填砂土或黏粒含量少、透水性较好的吹填土地基;冲击碾压法宜用于处理深度要求高、施工工期短的吹填土地基。

6.1.3 压实法的设计和施工方案应根据吹填土层状况、变形要求及填料等因素综合分析确定;对大型、重要或场地地层条件复杂的工程,在正式施工前,应通过现场试验确定地基处理效果。

6.1.4 吹填土压实前,可根据场地条件、施工机械和天气情况,进行翻晒、通风,以降低含水率。

6.1.5 当利用压实吹填土作为建筑物的持力层时,应根据结构类型、填料性能和现场条件等,对拟压实的吹填土提出质量要求。未经检验查明以及不符合质量要求的吹填土,均不得作为建筑物的地基持力层。

6.2 设 计

6.2.1 采用翻晒措施时,应通过试验,确定翻晒铺土厚度、翻晒的适宜时间和翻晒的方法。

6.2.2 碾压法和振动压实法施工时,应根据压实机械的压实性能、吹填土性质、密实度、压实系数和施工含水率等,并结合现场试验确定碾压厚度、碾压遍数、碾压范围和有效加固深度等参数。对冲击碾压施工,场地宽度不宜小于 6m,单块施工面积不宜小于

1500m²，施工最短直线距离不宜少于 100m。

6.2.3 吹填土压实地基承载力特征值，应根据现场载荷试验确定，也可通过动力触探、静力触探等试验，结合工程经验确定。

6.2.4 吹填土压实地基的变形，可按现行国家标准《建筑地基基础设计规范》GB 50007 的有关规定计算，压缩模量应通过处理后地基的原位测试或土工试验确定。

6.3 施 工

6.3.1 翻晒可采用机械或人工进行，气象条件允许时可反复翻晒。翻晒土方时，宜从中心向两侧翻晒，再从两侧向中心翻晒，应保证推土机粗平后的高程不受翻晒影响。施工中应控制翻晒厚度，保证翻晒质量。

6.3.2 翻晒合格的土料，应做成土堆，并加以防护。土堆在储备或使用期间，特别是雨前、雨中，排水系统应通畅、顶部无因沉陷而形成的坑洼、防雨设施应可靠等。

6.3.3 压实法施工应根据使用要求、类型和地质条件确定允许加载量和范围，并应按设计要求均衡分步施加。

6.3.4 采用普通平碾和振动压实机施工时，应通过现场试验性施工确定施工机械、分层吹填厚度、压实次数、最优含水率及具体施工方法等，分层压实时，下层的密实度应经检验合格后，方可进行上层施工。

6.3.5 采用冲击碾压机施工时，冲击碾压机的运行速度应遵循先慢后快、先轻后重的原则，冲压初期速度宜为 5km/h～10km/h，待土体具有一定强度后速度可提高到 12km/h～15km/h。

6.3.6 当采用冲击碾压法压实地基时，应对冲压后的地表及时进行刮平处理，应避免地表不平损害冲击碾压设备和影响冲击碾压机运行速度；冲压结束后，应对场地进行刮平并用振动压路机碾压处理，应避免雨水停留在低洼处影响质量。

6.3.7 设置在斜坡上的压实吹填土，应验算其稳定性。当天然地面坡度大于 20％时,应采取防止压实填土可能沿坡面滑动的措施,并应避免雨水沿斜坡排泄。当压实吹填土阻碍原地表水排泄时,应根据地形修筑雨水截水沟,或设置其他排水设施。设置在压实填土区的上、下水管道,应采取防渗、防漏措施。

6.3.8 压实地基施工场地附近有对振动和噪声环境控制要求时,应安排施工工序和时间,减少噪声与振动对环境的影响,或采取挖减振沟等减振和隔振措施,并进行振动和噪声监测。冲击碾压施工点与邻近建筑物的水平安全距离宜大于等于 30m。

6.3.9 施工过程中严禁扰动下卧层,防止受冻或受水浸泡。

6.4 质 量 检 验

6.4.1 吹填土地基压实的施工质量检验宜分层进行,每完成一道工序应按设计要求及时验收,合格后方可进行下道工序。

6.4.2 在吹填土压实的过程中,应分层取样检验土的干密度和含水率。每 300m² ～500m² 面积内应设不少于 1 个检测点。

6.4.3 有地区经验时,可采用动力触探、静力触探、标准贯入等原位试验,并结合干密度试验的对比结果进行质量检验。

6.4.4 冲击碾压法施工宜分层进行变形量、压实系数等土的物理力学指标监测和检测。

6.4.5 地基承载力可通过静载荷试验并结合动力触探、静力触探、标准贯入等试验结果综合判定。当场地处理面积大于 1000m² 时,每 300m² 面积内试验点不应少于一处。

7 堆载预压法

7.1 一般规定

7.1.1 堆载预压法适用于处理粗颗粒土、细颗粒土和混合土等吹填土地基。

7.1.2 吹填土地基采用堆载预压法时,应选择试验区进行预压试验,进行地基变形、孔隙水压力、地下水位等项目的监测,并进行原位十字板剪切试验和室内土工试验。应根据试验资料确定加载速率,推算土的固结系数、固结度及竖向变形等,分析地基处理效果,对原设计进行修正。

7.1.3 预压荷载应逐级施加,保证每级荷载下地基的稳定性。

7.1.4 当堆载预压法受预压时间限制,沉降或承载力不能满足工程要求时,可采用超载预压。

7.1.5 堆载预压法或超载预压法,均应根据现场试验确定加载值、施工步骤和预压时间。

7.1.6 堆载预压法或超载预压法,加载可采用土和砂石,也可采用覆水。

7.1.7 堆载和吹填土表面之间宜设置一层透水良好的排水砂层,当吹填区周围缺少砂料或吹填土强度过低时,可采用无砂垫层作为排水垫层。

7.1.8 当地基土经预压后的强度满足地基承载力和稳定性要求时,可卸载。对以变形控制为主的地基,预压后的变形量和平均固结度符合设计要求时,可卸载。

7.2 设　　计

7.2.1 吹填土地基堆载预压设计方案,应根据吹填土的特性、地质、水文等条件进行选择。

7.2.2 堆载预压法的设计应包括下列内容：

　　1 选择竖向排水体，确定其断面尺寸、间距、排列方式和深度，确定水平向排水体的布置、厚度和材料；

　　2 确定预压区范围、预压荷载大小、荷载分级、加载速率、预压时间和卸载标准；

　　3 计算地基土的固结度、强度增长、抗滑稳定性和变形；

　　4 提出监测要求和目的，确定监测项目、监测设备、监测方法、控制标准、测点布置和数量。

7.2.3 预压荷载的大小应根据吹填土地基使用要求确定，并应大于吹填土地基使用时的设计荷载值。

7.2.4 预压荷载的加载范围应大于拟建工程要求处理的吹填土地基范围。

7.2.5 加载速率应根据吹填土的强度确定。当吹填土的强度满足预压荷载下地基的稳定性要求时，可一次性加载；否则应分级逐渐加载，待前期预压荷载下地基土的强度增长满足下一级荷载下地基的稳定性要求时方可加载。

7.2.6 堆载下可设置竖向排水系统，宜采用正方形或正三角形布置的塑料排水板，塑料排水板的间距宜为 0.7m～1.1m。塑料排水板型号及性能指标应符合表 7.2.6 的规定。

表 7.2.6　常用塑料排水板型号及性能指标表

型号 项目	A 型	B 型	C 型	D 型	条　　件
打设深度(m)	≤15	≤25	≤35	≤50	
纵向通水量(cm³/s)	≥15	≥25	≥40	≥55	侧压力 350kPa
滤膜渗透系数(cm/s)	≥5×10⁻⁴				试件在水中浸泡 24h
滤膜等效孔径(mm)	0.05～0.12				以 O_{95} 计

型号 项目	A 型	B 型	C 型	D 型	条　件
塑料排水板抗拉强度 （kN/10cm）	≥1.0	≥1.3	≥1.5	≥1.8	延伸率 10% 时
滤膜抗拉强度 （N/cm） 干	≥15	≥25	≥30	≥37	延伸率 10% 时
湿	≥10	≥20	≥25	≥32	延伸率 15% 时，试件在 水中浸泡 24h

塑料排水板的当量换算直径可按下式计算：

$$d_p = 2(b+\delta)/\pi \qquad (7.2.6)$$

式中：d_p——塑料排水板当量换算直径（mm）；

　　　b——塑料排水板宽度（mm）；

　　　δ——塑料排水板厚度（mm）。

7.2.7　竖向排水体间距可根据地基土固结特性和预定时间内所要求达到的固结度确定。设计时，直径为 d_w 的竖向排水体间距（d_e）可根据井径比（n）确定。井径比为竖向排水体间距与竖向排水体直径的比值。塑料排水板直径（d_w）可取塑料排水板的当量换算直径（d_p），井径比可按 $n=15\sim22$ 选用。

7.2.8　竖向排水体的深度应根据地基稳定性、变形要求和工期确定。对以地基抗滑稳定性控制的工程，竖向排水体超过最危险滑动面的深度应大于 2m；对以变形控制的工程，竖向排水体的深度应根据在限定的预压时间内需完成的变形量确定，竖向排水体宜穿透受压土层。

7.2.9　一级或多级等速加载条件下，当固结时间为 t 时，对应总荷载的地基平均固结度可按下式计算：

$$\overline{U_t} = \sum_{i=1}^{n} \frac{\dot{q}_i}{\sum \Delta p} \left[(T_i - T_{i-1}) - \frac{\alpha}{\beta} e^{-\beta t} (e^{\beta T_i} - e^{\beta T_{i-1}}) \right]$$

$$(7.2.9)$$

式中：$\overline{U}_t$——t 时间地基的平均固结度；

n——加载级数；

$\dot{q}_i$——第 i 级荷载的加载速率（kPa/d）；

$\sum\Delta p$——各级荷载的累加值（kPa）；

T_i、T_{i-1}——分别为第 i 级荷载加载的起始和终止时间（从零点起算），当计算第 m 级荷载加载过程中某时间 t 的固结度时，T_i 改为 t；

α、β——参数，根据地基土排水条件按表7.2.9采用；表中所列 β 为不考虑涂抹和井阻影响的参数值。

表 7.2.9 α、β 值

排水固结参数	竖向排水固结 $\overline{U}_z>30\%$	向内径向排水固结	竖向和向内径向排水固结（竖井穿透受压土层）
α	$\dfrac{8}{\pi^2}$	1	$\dfrac{8}{\pi^2}$
β	$\dfrac{\pi^2 C_v}{4H^2}$	$\dfrac{8C_h}{\left[\dfrac{n^2}{n^2-1}\ln(n)-\dfrac{3n^2-1}{4n^2}\right]d_e^2}$	$\dfrac{8C_h}{\left[\dfrac{n^2}{n^2-1}\ln(n)-\dfrac{3n^2-1}{4n^2}\right]d_e^2}+\dfrac{\pi^2 C_v}{4H^2}$

注：C_h——土的径向排水固结系数（cm²/s）；

$\quad\ C_v$——土的竖向排水固结系数（cm²/s）；

$\quad\ H$——土层竖向排水距离（cm）；

$\quad\ \overline{U}_z$——双面排水土层或固结应力均匀分布的单面排水土层平均固结度。

7.2.10 对竖向排水体未穿透受压土层的地基，应分别计算竖向排水体范围内土层的平均固结度和竖向排水体底面以下受压土层的平均固结度，通过预压使该两部分固结度和所完成的变形量满足设计要求。

7.2.11 堆载预压法处理地基可在地表铺设与竖向排水体相连的水平排水砂垫层，砂垫层厚度不应小于0.5m，砂垫层砂料宜用中粗砂，含泥量不宜大于5％，砂料中可混有少量粒径不大于50mm的砾石，并应保证加固全过程中垫层排水通畅。在预压区边缘应

设置排水沟,在预压区内宜设置与砂垫层相连的排水盲沟。

7.2.12 采用无砂垫层堆载预压法时,应将竖向排水体与水平透水软管绑扎并宜覆盖透水土工布,形成水平排水系统。

7.2.13 无砂垫层堆载预压法的排水管主管、次管宜采用外径50mm～70mm 的波纹滤管,其技术指标应符合表 7.2.13 的规定。

表 7.2.13　无砂垫层排水滤管技术指标

序号	项目	指　　标
1	环刚度	$\geqslant 8kN/m^2$
2	冲击强度	$TIR \leqslant 10\%$
3	环柔性	试样圆滑,无反向弯曲,无开裂,两壁无脱开
4	烘箱实验	无气泡,无分层,无开裂
5	滤膜	涤纶 2 层,每层质量 $50g/m^2$
6	打孔	每隔两个螺旋均匀打三个直径 2mm 圆形透气孔,孔打设在滤管波纹的凹槽中

7.2.14 覆水预压的分区面积不宜大于 $20000m^2$,其挡水围堰的高度不宜大于 2m,宽度应通过稳定性计算确定。围堰迎水面宜敷设不透水塑料膜。

7.2.15 计算预压荷载下饱和吹填土地基中某点的抗剪强度时,应考虑土体原来的固结状态。

7.2.16 预压荷载下吹填土地基的最终沉降量可按本规范附录 A 计算。

7.3　施　　工

7.3.1 堆载预压法施工宜按下列步骤进行:

　　1 施工准备;

　　2 基底清理;

　　3 铺设砂垫层;

　　4 竖向排水体施工;

5 采用无砂垫层堆载预压法时铺设水平排水管路；

6 埋设观测桩和监测仪器；

7 预压及卸载，观测与监测同步进行。

7.3.2 以塑料排水板作为竖向排水体时，排水带的性能指标应符合设计要求。塑料排水板在现场应妥善保护，破损或污染的塑料排水板不得在工程中使用。

7.3.3 塑料排水板施工所用套管应保证插入地基中的排水带不扭曲。塑料排水板需接长时，应采用滤膜内芯带平搭接的连接方法，搭接长度不宜小于200mm。塑料排水板施工时，宜配置能检测其插入深度的设备。

7.3.4 塑料排水板施工时，平面井距偏差应小于井径，垂直度偏差应小于1.5％，深度不应小于设计要求。塑料排水板埋入砂垫层中的长度不应小于200mm。

7.3.5 加载应分期分级施加，并应加强观测，根据观测资料综合分析、判断并确保地基的稳定性。加载应分层摊铺，临时堆高不应大于设计厚度1m。施工中分小块摊铺时，不应引起地表隆起或加载边界区域沉降速率过快。

7.3.6 采用无砂垫层法施工时，宜符合下列规定：

1 对于强度超低的吹填淤泥，宜在吹填淤泥表面架设浮桥，形成施工便道，也可采用轻质泡沫塑料板作为施工平台，轻质泡沫塑料板尺寸宜为2m×2m。

2 在排水板施工前，应先在淤泥表面铺设一层塑料编织布，防止淤泥渗入水平滤层。

3 铺设由水平排水管和竖向排水板组成的排水通道。横向滤管应布设在相邻两排塑料排水板中间，每根塑料排水板和滤管宜采用缠绕或自拉锁固定的方式进行连接。竖向排水板的布置宜为梅花型或正方形，板头出地面的长度宜为200mm～300mm。

4 用铁丝连接水平排水管时，接头应朝向泥面，连接后应在管上铺设150g/m² ～200g/m²的无纺土工布一层。

5 堆载施工时应分层加载,分层压实,其中第一层堆载宜使用素土或石粉等材料,应避免对排水板和排水管造成破坏。

7.3.7 采用覆水预压施工时,应符合下列规定:

1 密封膜的厚度、抗拉强度、延伸率应符合设计要求,宜铺设三层厚度为 0.08mm～0.10mm 的聚乙烯薄膜或聚氯乙烯薄膜。在铺膜过程中应加强防护,发现破损应及时修补。

2 在土质发生剧烈变化的区域宜采取堆筑高于地面 300mm,宽 1000mm 虚土方的方法,减缓土质急剧变化段的沉降差。在排水板打设过程中,应及时用砂或干土将排水板孔填塞并捣实。

3 注水加载预压时,第一次加水深度宜为 200mm,在检查密封膜不渗漏后,按级加水。按沉降观测值严格控制加水量,每级加水深度不应大于 500mm。在加载期间,应加强沉降观测。

7.4 质 量 检 验

7.4.1 施工过程中的质量检验和监测应包括下列内容:

1 塑料排水板应在现场随机抽样送实验室进行性能指标的测试,其性能指标应包括纵向通水量、复合体抗拉强度、滤膜抗拉强度、滤膜渗透系数和等效孔径等;

2 对不同来源砂垫层砂料,应取样进行颗粒分析和渗透性试验;

3 对以抗滑稳定控制的重要工程,应在预压区内选择有代表性的点预留孔位,在加载不同阶段进行原位十字板剪切试验和取土进行室内土工试验;

4 对堆载预压工程,在加载过程中应进行竖向变形、边桩水平位移及孔隙水压力等项目的监测,且应根据监测资料控制加载速率;

5 预压地基和塑料排水板质量检验标准应符合表 7.4.1-1 的规定。

表 7.4.1-1 预压地基和塑料排水板质量检验标准

项目	序号	检查项目	允许偏差或允许值		检查方法
			单位	数值	
主控项目	1	预压荷载	%	≤2	水准仪
	2	固结度(与设计要求比)	%	≤2	根据设计要求
	3	承载力或其他性能指标	设计要求		按规定方法
一般项目	1	沉降速率(与控制值比)	%	±10	水准仪
	2	塑料排水板位置	mm	±50	用钢尺量
	3	塑料排水板插入深度	mm	±200	插入时检查
	4	插入塑料排水板时的回带长度	mm	≤200	用钢尺量
	5	塑料排水板高出砂垫层距离	mm	≥200	用钢尺量
	6	插入塑料排水板的回带根数	%	<5	目测

6 砂垫层验收标准应符合表 7.4.1-2 的规定。

表 7.4.1-2 砂垫层允许偏差、检验数量和方法

序号	项目	允许偏差(mm)	检验单元和数量	单元测点	检测方法
1	顶面标高	-20～+30	每处(100m²一处)	1	用水准仪测量
2	厚度	±h/10		1	

注:1 h 为砂垫层厚度;

2 排水砂垫层只检查厚度。

7.4.2 堆载预压法处理地基完成后,竣工验收应符合下列规定:

1 竖向排水体处理深度范围内和竖向排水体底面以下的受压土层,经预压所完成的竖向变形和平均固结度应符合设计要求;

2 应对预压的地基土进行原位十字板剪切试验和室内土工试验,并宜进行现场载荷试验,试验数量不应少于 3 点。

7.4.3 地基最终沉降量及固结度可根据现场实测沉降资料按本规范附录 B 的规定进行推算。

8 真空预压法

8.1 一 般 规 定

8.1.1 真空预压法适用于处理软黏土、淤泥、淤泥质土等吹填土地基。当吹填土为流泥时,应通过现场试验确定其适用性。

8.1.2 当吹填土地基存在粉土、砂土等透水、透气层时,加固区周边应采取确保膜下真空压力满足设计要求的密封措施。

8.1.3 真空预压加固区边线与周边建筑物和地下管线等的距离应根据土质情况和建筑物重要性确定,且不宜小于20m。

8.1.4 试验监测除应符合本规范第7.1.2条的有关规定外,尚应增加膜下真空压力监测。

8.1.5 当采用真空和堆载联合预压时,堆载宜采用土、砂石作为荷载,也可采用覆水荷载。

8.1.6 当吹填区周围缺少砂料或吹填土强度过低时,可采用无砂垫层作为排水垫层。

8.1.7 当地基土经预压后的强度满足地基承载力和稳定性要求时,方可卸载。对以变形控制为主的地基,当预压后的变形量和平均固结度符合设计要求时,方可卸载。卸载时加固深度范围内地基平均固结度不宜小于85%。

8.2 设　　　计

8.2.1 吹填土真空预压加固范围宜大于拟建工程要求处理的吹填土地基范围。真空预压加固范围大时应分区加固,分区面积宜为20000m² ~40000m²。

8.2.2 对边界密封条件良好的淤泥、淤泥质土或黏土地基,真空预压荷载设计值不宜小于85kPa;当加固区土层条件复杂、需要采取黏土密封墙等措施时,真空预压荷载设计值不宜小于 80kPa。

8.2.3 当真空预压荷载小于预压荷载设计值时,可采用真空和堆载联合预压,当残余沉降量或加固时间不满足工程要求时,可采用超载预压。

8.2.4 瞬时和分级加荷条件下,地基沉降量和固结度可按本规范附录 A 计算。

8.2.5 真空和堆载联合预压时,堆载体的坡肩线宜与真空预压边线重合,对于一般软黏土膜上堆载应在真空预压满载 10d 后进行。对于高含水率的淤泥类土,应在真空预压满载 20d~30d 后开始堆载。

8.2.6 采用真空和堆载联合预压时,应分级加载,加载过程中地基向加固区外的侧向位移速率应小于 5mm/d,沉降速率应小于30mm/d。

8.2.7 当堆载采用覆水时,覆水面积应小于真空预压分区面积,挡水围堰外坡脚距离密封沟边缘的距离宜大于 5m。挡水围堰高度不宜大于 2m,宽度应通过稳定性计算确定。

8.2.8 水平排水垫层应具有良好的透水性和连续性,材料宜采用含泥量不大于 5% 的中砂或粗砂,厚度不宜小于 0.4m,砂料的渗透系数不宜小于 $1×10^{-2}$cm/s。

8.2.9 水平排水垫层中应设置排水滤管,滤管横向间距宜为 6m~7m,纵向间距宜为 15m~30m。

8.2.10 垂直排水系统宜采用塑料排水板,间距宜为 0.7m~1.1m,宜采用正方形或三角形布置。

8.2.11 真空预压垂直排水系统宜穿透软土层,但不应进入下卧透水层。软土层深厚时,对以地基承载力或稳定性控制的工程,打设深度应低于危险滑动面下 3m;对以沉降控制的工程,打设深度应满足工程对地基残余沉降量的要求。

8.2.12 采用无砂垫层真空预压法时,应符合下列规定:

    1 打设塑料排水板前,在地面应先铺设一层质量为150g/m²~200g/m² 的塑料编织布;

2 应铺设水平滤管,滤管横向间距宜为 2 倍塑料排水板间距,纵向间距宜为 15m～30m;

3 每根塑料排水板宜与水平滤管采用缠绕方式连接并绑扎固定,其上再铺设 1 层质量为 200g/m² 的无纺土工布;

4 无砂垫层排水滤管技术指标应符合本规范第 7.2.13 条的规定。

8.2.13 密封膜宜采用 2 层～3 层聚乙烯或聚氯乙烯薄膜。单层密封膜的技术要求应符合表 8.2.13 的规定。

表 8.2.13 密封膜的技术要求

最小抗拉强度(MPa)		最小断裂伸长率	最小直角撕裂强度	厚度(mm)
纵向	横向	(%)	(kN/m)	
18.5	16.5	220	40	0.12～0.16

8.2.14 加固区四周应开挖密封沟,密封沟深度应低于不透水、不透气层顶面以下 0.5m。密封沟开挖困难时也可直接将密封膜踩入泥面以下 0.5m。

8.2.15 当加固区边界透水透气层较深时,密封措施宜采用黏土密封墙。黏土密封墙厚度不宜小于 1.2m,墙体的黏粒含量应大于 15%,渗透系数应小于 $1×10^{-5}$ cm/s。

8.2.16 采用真空和堆载联合预压时,密封膜上下均应设置保护层,保护层可采用土工织物。

8.2.17 堆载时,宜先用人工堆载高度为 1m 的中粗砂或碎石屑等材料,其余堆载材料可用轻型机械进行堆载。

8.2.18 抽真空设备宜采用射流泵,其单机功率不宜低于 7.5kW,在进气孔封闭状态下,其真空压力不应小于 95kPa。

8.2.19 抽真空设备宜均匀布置在加固区四周,也可适量布置在加固区中部,每台设备的控制面积宜为 900 m² 到 1100m²。施工后期抽真空设备开启数量应大于总数的 80%。

8.2.20 当加固区表层为较厚的超软土层且垫层施工困难时,宜采用二次处理方法。先人工打设塑料排水板至新吹填超软土层底部,将塑料排水板和滤管直接连接,再铺一层无纺土工布,然后铺密封膜抽真空,待表层吹填超软土强度提高后再进行常规的真空预压处理。

8.2.21 对于欠固结地基,其固结度和沉降计算应分析欠固结因素的影响。

8.3 施 工

8.3.1 施工前应对排水材料、密封膜和施工设备的质量与性能进行检验,合格后方能使用。

8.3.2 塑料排水板施工应符合本规范第7.3节的相关规定。

8.3.3 砂垫层中的滤管施工应符合下列规定:

    1 滤管应置于排水砂垫层中间;

    2 滤管之间应采用四通、三通或二通接头牢固连接,连接长度不应小于100mm;

    3 滤管及其连接件在预压过程中应能适应地基变形;

    4 滤管出膜处应保证密封效果。

8.3.4 当真空预压法采用无砂垫层时,应符合本规范第7.3.6条的相关规定。

8.3.5 当真空和堆载联合预压采用覆水预压时,应符合本规范第7.3.7条的相关规定。

8.3.6 密封沟的开挖与回填应符合下列规定:

    1 密封沟深度和宽度应满足设计要求;

    2 密封沟内回填的黏土应不含杂质并分层压实;

    3 密封沟内的塑料排水板沿边坡伸入到水平排水垫层中的深度应大于200mm。

8.3.7 吹填土地基中存在透水夹层时,应设置淤泥密封墙,密封墙可采用双排搅拌桩,搅拌桩直径不宜小于700mm,搭接宽度不宜小于200mm,成桩搅拌应均匀,黏土密封墙的深度、厚度、黏粒含量和渗透系数应符合设计要求。

8.3.8 密封膜铺设应符合下列规定：

1 密封膜下应铺设一层无纺土工布；

2 密封膜加工后的边长应大于加固区相应边长 4m，当加固区地质条件复杂时，应加长密封膜并松弛铺设；

3 当密封膜采用热合法拼接时，膜的搭接宽度不应小于15mm，不应有热合不紧或融穿现象，孔洞应及时修补；

4 铺膜应从上风侧开始，铺膜时风力不应大于 5 级；

5 密封沟内的密封膜应紧贴内侧坡面铺平。

8.3.9 抽气期间应经常检查密封膜，破损应及时修补。

8.3.10 抽真空设备的位置和数量应符合设计要求。

8.3.11 试抽气时间宜为 4d～10d，发现问题应及时处理。

8.3.12 正式抽气阶段膜下真空压力应符合设计要求。

8.3.13 密封膜上堆载施工应符合下列规定：

1 堆载前应先在密封膜上铺设保护层；

2 堆载施工时间和各级荷载大小应符合设计要求。

8.4 质 量 检 验

8.4.1 施工过程中应对地表沉降、膜下真空压力、孔隙水压力、侧向位移和分层沉降进行监测，工程需要时宜对加固区外侧边桩位移、周边建筑物的位移和沉降、排水板内部的真空压力进行监测，各监测仪器应在打设塑料排水板后、铺设密封膜前布设。

8.4.2 地基最终沉降量及固结度可根据现场实测沉降资料按本规范附录 B 的规定进行推算。

8.4.3 吹填地基加固前、后应进行现场原位强度检测和现场取土及室内试验，也可进行加固后的地基承载力检测，根据加固前后的测试结果综合判定加固效果。

8.4.4 加固前的地基土检测应在打设塑料排水板前进行，加固后的检测应在卸载 3d～5d 后进行。

9 强 夯 法

9.1 一 般 规 定

9.1.1 强夯法,包括强夯置换法和降水强夯法,适用于处理粗颗粒土、砂混淤泥、砂、碎石混黏性土等吹填土地基,以及表层覆盖一定厚度碎石土、砂土、素填土、杂填土或粉性土的吹填土地基。

9.1.2 强夯施工前,应在有代表性的场地上进行试验性施工,确定其适用性、加固效果和施工工艺。试验区数量应根据场地复杂程度、工程规模、工程类型及施工工艺等确定。

9.1.3 强夯施工场地应平整,应能承受夯机的重量。

9.2 设 计

9.2.1 强夯法设计应包括每遍能级、夯点间距及布置、单点夯击数、夯击遍数、前后两遍夯击间歇时间和夯击范围等内容。降水强夯法尚应包括降水系统、排水系统等参数;强夯置换法尚应包括夯锤直径、填料要求、最后两击的平均夯沉量等参数。

9.2.2 强夯的有效加固深度应根据吹填土现场试夯或地区经验确定。在缺少试验资料或经验时可按表 9.2.2 预估。强夯法的有效加固深度应从最初起夯面算起;对吹填土地基当单击夯击能 E 大于 6000 kN·m 时,强夯的有效加固深度应通过试验确定。当粗粒土覆盖层厚度大于 3m 时可按现行行业标准《建筑地基处理技术规范》JGJ 79 执行。

表 9.2.2 强夯法有效加固深度预估值(m)

单击夯击能 (kN·m)	粗颗粒、砂混淤泥、砂(碎石)混黏性吹填土等,或有一定厚度粗颗粒土覆盖层	粉土、黏性土等吹填细颗粒土	备注
1000	3.0~4.0	3.0~4.0	—

单击夯击能 （kN·m）	粗颗粒、砂混淤泥、砂（碎石）混黏性吹 填土等，或有一定厚度粗颗粒土覆盖层	粉土、黏性土等 吹填细颗粒土	备注
2000	4.0～5.0	4.0～5.0	—
3000	5.0～6.0	5.0～6.0	—
4000	6.0～7.0	6.0～7.0	表层有 2m
5000	7.0～8.0	7.0～7.5	以上粗粒
6000	8.0～9.0	7.5～8.0	土覆盖层

9.2.3 强夯的每遍能级，应根据吹填土类别、结构类型、地下水位、荷载大小和设计有效加固深度等确定，亦可通过现场试验确定。砂土等粗粒土地基可取 1000kN·m～6000kN·m，吹填土砂性较强或粗粒土覆盖层较厚时宜采用更高能级；黏性土等细粒土地基可取 800kN·m～3000kN·m。

9.2.4 强夯技术参数的确定应符合下列规定：

1 夯点布置宜根据吹填土地基土情况和有效加固深度确定，可采用等边三角形、正方形或其他布置形式。

2 夯点间距宜根据需加固土层厚度和土质条件等因素综合确定，对厚度大和土质差的软弱土层第一遍夯点间距宜为 5m～7m；对土层较薄的砂土第一遍夯点间距宜为 3m～6m；第二遍在第一遍中间加密点夯。

3 单点夯击数应根据需加固土层厚度、表层土质情况及使用要求确定，应使夯击时土层垂直压缩量最大，周边隆起量最小。粗粒土含量高、表层土较硬或使用荷载较大时，可取 8 击～12 击；上覆粗粒料的软弱吹填土地基可取 5 击～8 击；联合降排水措施处理时可取 2 击～5 击。

4 前后两遍夯击间隔时间应根据土中超孔隙水压力的消散状况确定，当缺少实测资料时，可根据地基土的渗透性和降水至设计要求水位的时间确定。对含水率高、软弱土层较厚、渗透性较差的黏性土和粉性土，宜间歇 7d～14d；对砂土、地下水位较低或含水率较小的吹填土,宜间歇 2d～7d。

5 夯击遍数应根据地基土的性质和使用要求确定,宜夯 2 遍～4 遍。压缩层厚度大、渗透系数小、含水率高时取大值,反之取小值。点夯后宜以低能量满夯 1 遍～2 遍。

9.2.5 应根据初步确定的强夯参数,提出强夯试验方案,进行试夯。试夯结束一周至数周后,应根据不同土质条件对试夯场地进行检测,并与夯前测试数据进行对比,根据强夯效果确定工程采用的各项工艺参数。当要求加固深度较大时,可采用分层强夯、设置竖向排水体、提高能级的方案或结合其他地基处理方法。

9.2.6 强夯地基承载力特征值应通过现场静载荷试验、原位测试和土工试验按现行国家标准《建筑地基基础设计规范》GB 50007 确定,初步设计时也可根据地区经验确定。

9.2.7 强夯地基变形计算应符合现行国家标准《建筑地基基础设计规范》GB 50007 的有关规定。夯后有效加固深度内土层的压缩模量应通过原位测试或土工试验确定。

9.2.8 降水强夯法设计应符合下列规定:

1 当场地表层土软弱或地下水位较高、夯坑底积水影响施工时,宜先采用人工降低地下水位或铺填一定厚度的砂石粗粒材料,使地下水位低于起夯面以下 2m～3m。

2 降水深度及降水持续时间应根据土质条件和地基有效加固深度确定,并应在降水施工期间对地下水位进行动态监测,强夯施工时地下水位低于规定的深度;当土的渗透性较差或者需要时,也可再次进行人工降低地下水。

3 强夯施工宜夯击 3 遍～4 遍,单击夯击能可从 500kN·m 逐渐增加到大于或等于 2000kN·m,夯击工艺参数应通过试夯,根据现场夯击效果确定,全部夯击结束后应应对夯击面进行推平碾压。

4 每遍强夯间歇时间宜根据吹填软土中超静孔隙水压力消散 80% 以上所需时间或工程经验确定。

5 对地质条件特殊且无经验的场地应选择有代表性的区域进行试夯,通过实测降水效果、夯沉量、地下水位、孔隙水压力监测、地面隆起以及夯前夯后加固效果确定夯击能、夯击遍数、击数、间隔时间、与降水的搭接时间等施工参数。

9.2.9 强夯置换法设计应符合下列规定:

1 强夯置换墩材料宜采用级配良好的块石、碎石、矿渣、建筑垃圾等粗颗粒、硬质材料,施工前宜在吹填土表层铺填厚度不小于1.5m的粗粒土。

2 强夯置换墩的长度应根据土质条件和能级、锤的形状、击数、遍数、填料情况等决定。

3 墩位布置宜采用等边三角形、正方形布置。墩间距应根据变形要求和地基土的承载力选定,无经验时可取设计有效加固深度的0.8倍。

4 强夯置换设计时,应预估地面抬高值,并在试夯时校正。强夯置换单击夯击能量及夯击次数应根据现场试验确定。

5 强夯置换法试验方案的确定,应符合本规范第9.2.5条的规定。检测项目除进行现场载荷试验检测承载力和变形模量外,尚应采用超重型或重型动力触探等方法,有经验时也可采用物探法,检查置换墩长度及承载力与密实度随深度的变化。

6 强夯置换地基宜按单墩静载荷试验确定的变形模量计算加固区的地基变形,对墩下地基土的变形可按置换墩材料的压力扩散角计算传至墩下土层的附加应力,按现行国家标准《建筑地基基础设计规范》GB 50007的有关规定计算确定。

9.2.10 强夯置换有效加固深度应按地基的允许变形值或地基的稳定要求结合现场试验或当地经验确定,通常不宜大于8m,采用高能级时不宜大于10m。

9.2.11 强夯场地的标高控制应考虑场地吹填土和施工填料的成分与密实情况、场地设计标高、基础标高、强夯参数、工后沉降等因素,结合试验区处理前后的实测标高综合确定。

9.3 施 工

9.3.1 强夯施工机具设备的选用应符合下列规定：

1 强夯机的起重能力可按锤重和落距确定。宜采用起重能力为 15t 以上的履带式起重机或其他专用设备，起吊高度宜为 5m～30m；夯击时宜采取辅助门架或其他安全措施防止臂杆后仰，履带接地压力宜小于地基承载力特征值或在吹填土上铺设粗粒土或路基箱进行施工。

2 夯锤宜采用圆柱形钢制或铸铁制的平底锤，质量宜为8t～40t，锤底面积宜为 4m² ～5m²，锤底静接地压力宜为 20kPa～80kPa。对黏性土或加固深度小于 5m 时宜取小值；对砂性土、含水率小于 25％的土或加固深度大于 5m 时宜取大值。夯锤应设置不少于三个上下贯通的气孔，孔径宜为 250mm～300mm，施工中应保持气孔通畅。强夯置换柱锤底面积宜为 1.1m²～1.8m²，锤底静接地压力宜为 80kPa～300kPa。

3 落锤时宜采用有足够强度、方便灵活的自动脱钩器。

9.3.2 对于软弱吹填土场地，可采取降水、在表层铺设粗粒土或路基箱进行施工。

9.3.3 当地下水位距地表 2m 以下且表层为非饱和土时，可直接进行夯击；当地下水位较高或表层为饱和土时，宜采用人工降低地下水位或铺填 0.5m～2.0m 厚的粗粒土材料后进行夯击。坑内或场地内积水应及时排除。

9.3.4 当强夯施工所产生的振动对邻近建筑物或设备可能产生有害影响时，施工前应查明邻近地上、地下建(构)筑物和各种地下管线的位置、基础形式及标高等。强夯振动的安全距离不宜小于 20m，有人类居住、工作时不应小于 50m。施工时应由距邻近建筑物近处向远处夯击，并应设置振动监测点。振动影响大时可采取隔振沟等措施。

9.3.5 雨季施工应及时采取排水措施，防止夯坑积水，加固区周围应设置排水沟。

9.3.6 强夯施工宜按下列步骤进行：

1 清理并平整施工场地；

2 标出第一遍夯点位置，并测量场地高程；

3 起重机就位，使夯锤对准夯点位置；

4 测量夯前锤顶高程；

5 将夯锤起吊到预定高度，待夯锤脱钩自由下落后，放下吊钩，测量锤顶高程；

6 重复步骤5，按设计规定的夯击击数及控制标准，完成一个夯点的夯击；

7 重复步骤6，完成第一遍全部夯点的夯击；

8 用推土机将夯坑填平，并测量场地高程；

9 在规定的间隔时间后，按上述步骤逐次完成全部夯击遍数，再用低能量满夯将场地表层松土夯实，碾压后测量夯后场地高程。

9.3.7 降水强夯法施工宜按下列步骤进行：

1 平整场区，确保设备和人员的进场条件；

2 安装设置降排水系统，并预埋孔隙水压力计和水位观测管，然后进行第一遍降水；

3 动态监测地下水位变化，当达到设计水位并稳定至少两天后，拆除场区内的降水设备，然后标记夯点位置进行第一遍强夯；

4 一遍夯后即可安装降水设备进行第二遍降水；

5 按设计的强夯工艺进行第二遍强夯施工；

6 重复步骤3、4，直至达到设计的强夯遍数；

7 全部夯击结束后进行推平和碾压；

8 坑内或场地积水应及时排除，对细颗粒土，应经过晾晒满足要求后方可施工。

9.3.8 强夯置换法施工宜按下列步骤进行：

1 清理并平整施工场地。

2 标出第一遍夯点位置,并测量场地高程。

3 起重机就位,使夯锤对准夯点位置。

4 测量夯前锤顶高程。

5 夯击并逐击记录夯坑深度。当夯坑过深而发生起锤困难时应停夯,向坑内填料直至与坑顶平,记录填料数量,如此重复直至符合规定的夯击次数及控制标准完成一个墩体的夯击。当夯点周围软土挤出影响施工时,可随时清理并在夯点周围铺垫碎石,继续施工。

6 按由内到外、隔行跳打原则完成全部夯点的施工。

7 用推土机将夯坑填平,并测量场地高程。

8 在规定的间隔时间后,按上述步骤逐次完成全部夯击遍数,再用低能量满夯将场地表层松土夯实,碾压后测量夯后场地高程。

9.3.9 强夯施工后应保护场地。

9.4 质 量 检 验

9.4.1 强夯施工前应检查锤重、落距等,施工过程中应检查各项测试数据和施工记录,不符合设计要求时应补夯或采取其他有效措施。

9.4.2 强夯施工结束后应间隔一定时间方能进行竣工验收检验。对砂土地基,其间隔时间不宜少于 7d,对粉性土地基不宜少于 14d,黏性土地基不宜少于 28d。强夯置换和降水强夯地基间隔时间不宜少于 28d。

9.4.3 强夯地基竣工验收时,承载力检验可选用载荷试验、静力触探试验、标准贯入试验、十字板剪切试验、圆锥动力触探试验、多道瞬态面波法等多种原位测试方法和室内土工试验等不少于三种方法进行检验,对照处理前的测试结果,综合判定加固效果。

9.4.4 对于强夯置换地基的竣工验收,承载力检验除应采用单墩载荷试验外,尚应采用超重型或重型圆锥动力触探等探明墩体长度及密实度随深度的变化。对饱和粉土地基可采用单墩复合地基载荷试验代替单墩载荷试验。

9.4.5 竣工验收检验点数量应根据处理面积和场地复杂程度确定。对简单场地,当处理面积大于 1000m² 时,每 300m² 不应少于一处。对复杂场地应增加检验点数。检验深度不应小于设计有效加固深度。强夯置换地基载荷试验检验和墩体长度检验数量均不应少于墩点数的 1%,且不应少于 3 点。夯间、夯点应均匀布置检验点。

10 振动水冲法

10.1 一般规定

10.1.1 振动水冲法,包括振冲密实法和振冲置换法。振冲密实法适用于处理粉砂、细砂等粗颗粒土吹填土地基;振冲置换法,也称为振冲碎石桩法,适用于处理十字板剪切强度不小于 20kPa 的细颗粒吹填土地基。

10.1.2 对重要的和场地地质条件复杂的工程,振冲施工前应进行工艺试验,并应在确认质量能够满足工程要求后,方可进行工程施工。

10.2 设 计

10.2.1 振冲密实法设计应符合下列规定:

1 振冲点宜按等边三角形或正方形布置,其间距宜为 2m 到 3m,可根据土的颗粒组成、设计的密实程度、地下水位和振冲器功率等并通过现场试验验证后确定。

2 振冲密实法处理深度宜低于软弱土层;当软弱土层深厚时,应按吹填土地基的变形、稳定性及下卧层承载力的要求确定。当为可液化的地基时,应符合抗震要求,且不宜小于 4m。

3 加固后的地基承载力应通过现场载荷试验确定。

4 加固深度范围内的压缩模量可根据原位测试指标按国家现行有关标准或地区经验确定。

10.2.2 振冲置换法设计应符合下列规定:

1 振冲碎石桩桩位布置形式宜用等边三角形。

2 振冲碎石桩的直径宜根据吹填土土层情况和振冲器型号按表 10.2.2-1 确定。

表 10.2.2-1　振冲碎石桩桩径经验数据(m)

振冲器(kW) ＼ 吹填土地基承载力特征值 f_{ak}(kPa)	40～80	80～140
30	0.9～1.0	0.7～0.8
55	0.9～1.1	0.8～0.9
75	1.0～1.1	0.8～0.9
130	—	1.1～1.3

3 振冲碎石桩间距应根据桩径和设计所需的面积置换率,结合振冲器功率确定,可采用 1.5m～4.0m。荷载大或原土强度低时,宜取小间距;荷载小或原土强度高时,宜取大间距。对桩端未达到相对硬层的短桩,应取小间距。

4 振冲碎石桩处理深度可按本规范第 10.2.1 条第 2 款确定。

5 振冲碎石桩桩顶和基础之间宜铺设厚度为 300mm～500mm 的碎石垫层。

6 振冲碎石桩桩体材料宜采用含泥量不大于 5% 的碎石,根据当地材料来源也可采用卵石、砾石、矿渣或其他性能稳定的硬质材料,不宜选用风化易碎石料。常用的填料粒径宜按表 10.2.2-2 选取,且不应采用单一粒径填料。

表 10.2.2-2　填料粒径选择

振冲器(kW)	填料粒径(mm)
30	20～80
55	30～100
75	40～150
130	50～200

7 振冲碎石桩复合地基承载力特征值应通过现场复合地基载荷试验确定,初步设计时也可按下列公式估算:

$$f_{\text{spk}} = [1 + m(n-1)]f_{\text{sk}} \qquad (10.2.2-1)$$

$$m = D^2/D_{\text{e}}^2 \qquad (10.2.2-2)$$

式中：f_{spk}——振冲桩复合地基承载力特征值(kPa)；

f_{sk}——处理后桩间土承载力特征值(kPa)，地表宜按现场载荷试验取值。深层土可按现场原位测试结果并根据当地经验换算成承载力。无经验时，按原位测试结果确定的桩间土承载力特征值，对于黏性土宜取静力触探结果的 1.0 倍～1.2 倍，对于粉土宜取按标贯击数确定的 1.3 倍～1.8 倍，对于砂土宜取按标贯击数确定的 1.6 倍～2.4 倍。吹填土黏粒含量低、初始强度低时取大值，黏粒含量高、初始强度高时取小值；

m——桩土面积置换率；

D——桩身平均直径(m)；

D_{e}——单根桩分担的处理地基面积的等效圆直径(m)，等边三角形布桩 $D_{\text{e}} = 1.05l$，正方形布桩 $D_{\text{e}} = 1.13l$，矩形布桩 $D_{\text{e}} = 1.13\sqrt{l_1 l_2}$，$l$、$l_1$、$l_2$ 分别为桩间距、纵向间距和横向间距；

n——桩土应力比，在无实测资料时，对黏性土可取 2.0～5.0，对粉土和砂土可取 1.5～3.0，原土强度低时取大值，原土强度高时取小值。

8 振冲处理地基的变形计算应符合现行国家标准《建筑地基基础设计规范》GB 50007 的有关规定。各复合土层的压缩模量可按下式计算：

$$E_{\text{sp}} = [1 + m(n-1)]E_{\text{s}} \qquad (10.2.2-3)$$

式中：E_{sp}——复合土层压缩模量(MPa)；

E_{s}——处理后桩间土压缩模量(MPa)，宜根据现场原位测试结果按当地经验换算压缩模量，无经验时，桩间土原位测试结果提高幅度可按式 10.2.2-1 中 f_{sk} 的取值方法采用。

9 进行稳定性验算时,复合土层的抗剪强度指标值可按下列公式计算:

$$\tan\varphi_{sp} = m\mu_p \tan\varphi_p + (1 - m\mu_p)\tan\varphi_s \qquad (10.2.2\text{-}4)$$

$$c_{sp} = (1 - m)c_s \qquad (10.2.2\text{-}5)$$

$$\mu_p = \frac{n}{1 + (n-1)m} \qquad (10.2.2\text{-}6)$$

式中:φ_{sp}——复合土层内摩擦角标准值(°);

μ_p——应力集中系数;

φ_p——桩体材料内摩擦角标准值(°);

φ_s——桩间土内摩擦角标准值(°),砂土或粉土取试验值,较软的黏性土地基适当降低;

c_{sp}——复合土层黏聚力标准值(kPa);

c_s——桩间土黏聚力标准值(kPa);

n——桩土应力比,复合土层上的荷载是填土荷载时取公式 10.2.2-1 中应力比的 3/4。

10.3 施 工

10.3.1 振冲密实法施工应符合下列规定:

1 施工前应进行现场试验,确定供水系统水压、流量、振密电流、留振时间等各项施工参数,施工中应检查振冲器的绝缘性能;

2 振冲密实宜进行现场工艺试验,确定振密的可能性、振密电流值、留振时间、提升高度、振冲水压力和振后土层的物理力学指标等;

3 施工时应按远离已有建筑物的方向推进;

4 施工过程中,密实电流和留振时间应符合试验确定的施工参数;

5 在中粗砂层中遇振冲器不能贯入时,可在振冲器两侧增设辅助水管,加大水流量,使振冲器易于贯入;

6 施工现场应事先设置泥水排放系统并宜设置沉淀池,应重

复使用上部清水,不应将泥水直接外排;

 7 加固粉细砂宜采用下列工艺:

  1)平面上可采用双振冲器或三振冲器组合进行振冲密实,将同型号的两台或三台振冲器的顶端以 2m～3m 的间距、刚性联结组合在一起,使用大功率吊车,将组合机械悬吊作业;

  2)冲水压力宜为 100kPa～120kPa;

  3)立面上采用三上三下的成桩工艺,下沉速度宜为 1.0m/min～2.0m/min;

  4)在电流升高到规定的控制值后,宜将振冲器先上提 0.5m～0.6m 后,再进行振动,留振时间宜为 60s～90s,以后每次提升 0.3m;

  5)全深度反复振冲 2 次～3 次,使整个加固体的密实度达到设计要求。

10.3.2 振冲置换法施工应符合下列规定:

 1 施工前应进行现场试验,确定供水系统水压、流量、振密电流、留振时间、填料量等各项施工参数。

 2 施工时应按远离已有建筑物的方向推进。

 3 施工过程中,密实电流、填料量和留振时间应符合试验确定的施工参数。

 4 成孔贯入时水压宜为 200kPa～600kPa,水量宜为 200L/min～400L/min。振冲器应缓慢沉入土中,造孔速度宜为 0.5m/min～2.0m/min。

 5 造孔后应边提升振冲器边冲水直至孔口,再将振冲器放至孔底,重复 2 次～3 次扩大孔径并使孔内泥浆浓度变小后,再开始填料制桩。

 6 填料容易达到孔底时,振冲器可不提出孔口,填料困难时,可将振冲器提出孔口填料,每次填料厚度不宜大于 500mm。将振冲器沉入填料中进行振密制桩,当电流达到规定的密实电流值和规定的留振时间后,将振冲器提升 300mm～500mm。

7 施工完成后,应将顶部的松散桩体挖除或用碾压等方法进行密实,随后铺设厚度为 300mm～500mm、粒径不大于 30mm 的碎石垫层并压实。

10.4 质量检验

10.4.1 施工过程中应对场地地面高程进行监测,并宜监测孔隙水压力和地下水位。

10.4.2 振冲密实法可根据地基土性质采用载荷板、标准贯入或静力触探试验等方法检验处理效果,检验点应选择在有代表性的或地基土质较差的地段。检验数量可为振冲点数量的 1%,载荷试验的检验数量不宜少于振冲点数量的 0.5%,采用的每种检测方法的检验数量均不应少于 3 个。

10.4.3 振冲置换法可分别对复合地基、桩体、桩间土进行检测,并应符合下列规定:

1 复合地基承载力检验宜采用单桩复合地基载荷试验,对于重大的、地质条件复杂的工程宜采用多桩复合地基和单桩载荷试验进行检验;

2 桩体可采用标准贯入或重型动力触探进行检验,检测深度应为桩的长度;

3 对有强度增长要求的桩间土可采用载荷板、标准贯入或静力触探试验等原位试验方法进行检验,并可现场取样进行室内土工试验,检测深度应为桩的长度;

4 检验数量可为总桩数的 2%,载荷试验的检验数量不宜少于振冲点数量的 0.5%,采用的每种检测方法的检验数量均不应少于 3 个。

10.4.4 静载荷试验和桩间土检验应在施工完成并间隔一定时间后进行,黏性土地基的间隔时间可取 21d～28d,粉土地基可取 14d,砂土地基可取 7d。桩体检测宜在施工期间进行。

11 固 化 法

11.1 一 般 规 定

11.1.1 固化法适用于处理淤泥、淤泥质土等细颗粒吹填土地基。

11.1.2 固化法处理吹填土地基可分为浅层固化处理和深层固化处理两类。浅层固化处理吹填土地基的深度宜小于 3m。

11.1.3 固化剂可采用水泥、石灰、粉煤灰、矿渣以及各类成品固化剂。

11.1.4 应根据吹填土的种类和性质,固化剂的主要物理、化学性质与使用性能,加固要求、施工条件等选择固化剂种类、固化剂材料配比及添加量。使用前应进行调配试验和现场固化试验。

11.1.5 固化剂的使用不应造成对环境的污染。

11.2 设 计

11.2.1 当采用浅层固化处理吹填土时,土粒最大粒径不宜大于 15mm,且大于 10mm 的土颗粒宜小于土总重量的 5%;吹填土中有机质含量不宜大于 10%。

11.2.2 浅层固化吹填土应选择能提高吹填土力学性能的固化剂,并应符合下列规定:

    1 固化剂的技术性能指标应符合现行行业标准《土壤固化剂》CJ/T 3073 的有关规定;

    2 液体固化剂溶液的固体含量不得大于 3%,不得有沉淀或絮凝现象,粉状固化剂的细度为 0.074mm 标准筛筛余量不得大于 15%;

    3 固化剂类型应根据土质情况经室内试验确定。

11.2.3 浅层固化吹填土配合比设计可按下列步骤进行:

1 原材料试验；

2 试件制备；

3 固化吹填土凝结时间、体积安定性试验；

4 固化吹填土无侧限抗压强度测定；

5 确定设计配合比。

11.2.4 原材料试验应选取拟固化吹填土及固化剂试样进行下列试验：

1 吹填土的颗粒分析，测定液限和塑限、有机质含量、含水率、pH 值；

2 对于水泥固化剂应测定其强度等级，初、终凝时间和安定性；

3 对于石灰固化剂宜测定有效氧化钙和氧化镁的含量。

11.2.5 固化吹填土混合料室内试验应符合下列规定：

1 固化吹填土混合料的配合比应准确，拌和均匀，达到最佳含水率状态，并满足各项技术指标要求；

2 按拟定的配合比配料，进行标准击实试验，通过标准击实试验，确定固化吹填土混合料最佳含水率和最大干密度；

3 固化吹填土混合料的凝结时间应大于 4h，凝结时间试验可按现行行业标准《土壤固化剂》CJ/T 3073 的有关规定执行；

4 固化吹填土混合料的体积安定性应符合现行行业标准《土壤固化剂》CJ/T 3073 的有关规定，固化吹填土试样经 65℃蒸养 24h 后，应在蒸煮箱中自然冷却，试件表面不得有裂纹；

5 固化吹填土混合料抗压强度试件应在 20℃±2℃的温度下保湿养护 6d，浸水 1d，再取出进行无侧限抗压强度试验，并取不少于 6 个试件的平均值。

11.2.6 浅层固化吹填土地基可按现行行业标准《建筑地基处理技术规范》JGJ 79 中换填垫层法的有关规定进行承载力、沉降量等计算。

11.2.7 深层固化处理吹填土地基可采用各种搅拌法和注浆法。

11.2.8 搅拌法采用的固化剂宜为石灰和水泥；注浆法采用的固

化剂宜为水泥。

11.2.9 搅拌法和注浆法进行吹填土地基深层固化的设计应符合现行行业标准《建筑地基处理技术规范》JGJ 79 中有关规定。

11.3 施 工

11.3.1 浅层固化吹填土的施工方法可分为管内混合处理法和场地混合处理法两大类,管内混合处理法仅适用于吹填土场地地基承载力要求较低的浅层固化处理。

11.3.2 大面积吹填土浅层固化施工前应通过试验段施工确定施工参数。

11.3.3 吹填土浅层固化施工气温宜高于 4℃,并应避免雨天施工。

11.3.4 浅层固化吹填土施工时采用的固化剂用量应高于室内配合比试验确定的用量。使用液体固化剂时,应增加设计浓缩液用量的 10%～20%。使用粉状固化剂应增加干土重量的 1%～2%。

11.3.5 管内混合处理吹填土的施工设备可由吹填土输送泵管、管道药剂混合器、固化剂材料控制器、吹填土布料器等组成。

11.3.6 根据固化剂性状的不同,场地混合浅层处理吹填土的施工设备可分为粉剂材料施工设备和浆液剂施工设备两类。

 1 粉剂材料施工设备可由空压机、粉剂储存器、喷雾计量器、喷粉器、挖掘机、拖拉机泥土搅拌器等组成;

 2 浆液剂施工设备可由制浆调合器、浆液储存器、高压供浆泵、供浆计量器、吹填土淤泥土行走机、高压旋喷混合搅拌器等组成。

11.3.7 管内混合处理法施工应符合下列规定:

 1 施工参数应根据吹填土土质条件、吹填泵送设备、加固要求等结合试验或工程经验确定,并在施工中严格控制;

 2 宜采用带有计量设备的固化剂添加装置进行固化剂的添加与混合;

 3 应按施工参数和材料用量施工,并做好各项记录。

11.3.8 场地混合处理法施工应符合下列规定：

1 施工前应清除待固化土表面或下承层表面的杂物、草根、乱石等，并采取场地排水措施，使表面平整，无积水；

2 固化处理前应检测待固化土的实际含水率，当不能满足要求时应对固化土采取处理措施；

3 采用粉状固化剂进行固化施工时，应根据吹填土表层地基承载力条件选择机械拌和或人工拌和；

4 采用液体固化剂进行固化施工时，宜用液体固化剂水溶液的 85%～90% 直接掺入吹填土中拌和，其余 10%～15% 的水溶液可在成型后喷洒封层；

5 应严格按施工参数和材料用量施工，并做好各项记录。

11.3.9 深层固化方法搅拌法和注浆法进行吹填土地基深层固化的施工可按现行行业标准《建筑地基处理技术规范》JGJ 79 的有关规定进行。

11.4 质 量 检 验

11.4.1 试验检测验收应符合原始记录齐全，数据准确和资料完整的要求。

11.4.2 每道工序完成后，均应进行检查验收，合格后方可进行下道工序。经检测不合格的，应进行二次处理达到合格要求。

11.4.3 材料检测试验应符合下列规定：

1 固化剂原材料检测试验项目和方法应符合表 11.4.3-1 的规定。

表 11.4.3-1　固化剂原材料检测试验项目和方法

试验项目	取样频次	试验方法
细度（粉状）	每批次 2 个样品	水泥细度检验方法
固体含量（液体状）	每批次 2 个样品	均质性试验
化学成分	每批次 2 个样品	电测法酸碱度试验等

2 原状吹填土检测试验项目和方法应符合表 11.4.3-2 的规定。

表 11.4.3-2 原状吹填土检测试验项目和方法

试验项目	取样频次	试验方法
含水率	每 20000m³ 取 1 个样品	烘干法、酒精法
液限、塑限	每 20000m³ 取 1 个样品	100g 平衡推测液限,搓条法测塑限
颗粒分析	每 20000m³ 取 1 个样品	筛分法、密度计法等
有机质含量	每 20000m³ 取 1 个样品	重铬酸钾容量法
pH 值	每 20000m³ 取 1 个样品	易溶盐试验、中溶盐试验、难溶盐试验、有机质试验

3 固化土混合料室内试验项目和方法应符合表 11.4.3-3 的规定。

表 11.4.3-3 固化土混合料试验项目和方法

试验项目	取样频次	试验方法
凝结时间	每种配比平行两次	固化土凝结时间试验
安定性	每种配比平行两次	固化土安定性试验
标准击实	每种配比平行两次	重型或轻型
抗压强度	每种配比平行六次	无侧限抗压强度试验

11.4.4 吹填土固化施工质量控制项目、频率和标准应符合表 11.4.4 的规定。

表 11.4.4 吹填土固化施工质量控制项目、频率和标准

项目	频度	标准
含水率	随时观察,异常时试验	粉状固化剂固化土最佳含水率-1%～+2%;液体状固化剂固化土最佳含水率+2%～+3%
配合比	每工作日至少一次	固化剂用量不少于设计用量
均匀性	随时观察	粉状固化剂固化土颜色一致,无团块;液体状固化剂固化土干湿一致,无团块

项目	频　度	标　准
压实度	每 1000m² 为一组,每组 3 个试件	符合设计要求
抗压强度	每 1000m² 为一组,每组 6 个试件	符合设计要求
平整度	—	符合设计要求

11.4.5 吹填土固化法施工应全过程进行质量控制,并全程监理。

11.4.6 吹填土固化法施工质量验收标准应符合现行国家标准《建筑地基基础工程施工质量验收规范》GB 50202 的有关规定。

12 电渗排水法

12.1 一般规定

12.1.1 电渗排水法适用于处理淤泥、淤泥质土等含水率高、渗透性低、黏粒含量高的细粒吹填土地基。

12.1.2 用作电渗的阴、阳极材料可采用铁、铜、铝等金属材料,也可采用石墨、导电塑料等非金属材料。

12.1.3 电渗排水法处理地基应现场取样进行室内电渗试验,确定土的电渗系数及现场电渗工艺参数。

12.1.4 电渗排水法可与堆载预压法或真空预压法联合使用。

12.1.5 对于含水率高、渗透性低的细颗粒吹填土地基,电渗排水法可与强夯法联合使用。

12.1.6 当吹填地基土经电渗后的强度满足地基承载力和稳定性要求时,可停止电渗处理。对以变形控制为主的地基,电渗后的变形量和平均固结度符合设计要求时,可停止电渗处理。

12.2 设 计

12.2.1 电渗排水法处理地基的设计应包括下列内容:

　　1 确定电渗处理区范围、电极间距和电渗处理时间。范围较大时应分区处理,分区面积宜根据现场电源的功率确定。

　　2 确定电极材料、排列方式和插入地基的深度、采用的电压梯度,当采用导电塑料排水板电极时,其当量换算直径计算与普通塑料排水板相同。

　　3 确定水平向排水体的布置、厚度和材料。

12.2.2 电极间距可根据地基土固结特性和预定时间内所要求达到的固结度确定,宜为 0.8m～1.0m;电极插入地基的深度应根据地基的稳定性、变形要求和工期确定。电极长度应大于拟处理土层厚度。电极平面布置可采用长方形布置,同极性电极间距与异极性电极的间距之比可取 0.5~0.67;也可按正三角形布置,一根阴极位于六根阳极中间。

12.2.3 疏导、排除电渗排出地面的水时,宜采取电极顶面设置砂垫层排水或铺真空膜吸水等措施。

12.2.4 单个电渗回路中地基土的电阻应按下式计算:

$$R = \rho l / A \qquad (12.2.4)$$

式中:R ——单个电渗回路中地基土的电阻(Ω);

ρ ——地基土初始含水率状态下的电阻率($\Omega \cdot m$),可通过室内试验测定;

l ——电极间距,即正负电极之间的距离(m);

A ——单个电渗回路中地基土的过电面积(m^2)。

12.2.5 电源电压宜根据电极间距和电压梯度确定,但不宜高于80V。应对工作人员采取可靠隔离措施,保证用电安全。

12.2.6 单个电渗回路的电流强度应按下式计算:

$$I = U / R \qquad (12.2.6)$$

式中:I ——单个电渗回路的电流强度(A);

U ——电源电压强度(V)。

12.2.7 单个电渗回路中的导线截面积和接入电源的总线的截面积可按下列方法选定:

1 根据本规范公式 12.2.7 计算的单个电渗回路的电流强度,选定单个电渗回路中需要采用的导线截面积;

2 根据总电流和拟采用的单根母线所能承载的电流,确定接入电源母线的截面积及根数。接入电源的母线截面积与母线根数乘积即为接入电源的总线截面积。单个电渗回路中的导线截面积宜为 $16mm^2 \sim 25mm^2$;接入电源的单根母线的横截面积宜为 $120mm^2 \sim 185\ mm^2$。

12.2.8 根据地基电渗处理时间 t,可按下式计算地基土的固结度：

$$U = 1 - \frac{4}{\pi^3} \sum_{n=0}^{\infty} \left\{ \frac{(-1)^n}{\left(n+\frac{1}{2}\right)^3} \exp\left[-\left(n+\frac{1}{2}\right)^2 \pi^2 \frac{C_h t}{l^2} \right] \right\}$$

(12.2.8)

式中：U ——地基土的固结度；

C_h ——地基土水平向固结系数（cm^2/s）；

t ——电渗处理时间（s）；

l ——地基土中阴极和阳极的电极间距（cm）。

12.2.9 地基沉降量可按下列公式估算：

$$S_t = \frac{1}{2} m_v H \mid u_a \mid U$$

(12.2.9-1)

$$u_a = -\frac{k_e \gamma_w \upsilon_0}{k_h}$$

(12.2.9-2)

式中：S_t ——地基沉降量（m）；

m_v ——地基土的体积压缩系数（kPa^{-1}）；

H ——吹填土层厚度（m）；

u_a ——电渗产生的最大负孔压（kPa）；

u_0 ——阳极和阴极之间的电势差（V）；

k_h ——地基土的水力渗透系数（m/s）；

k_e ——地基土的电渗系数［$m^2/(s \cdot V)$］；

γ_w ——水的容重（kN/m^3）；

U ——地基土的固结度，按本规范式 12.2.8 计算。

12.3 施 工

12.3.1 当电渗以铁、铜、铝等金属材料作电极时，其表面应无锈蚀；当选用导电塑料作为电极时，其导电性能应符合设计要求，并应在现场妥加保护，防止阳光照射、破损或污染破坏。

12.3.2 电极插设时，平面间距允许偏差应为±100mm，垂直度允许偏差应为±1.5%，深度不得小于设计要求。

12.3.3 当场地松软时,铁、铜、铝等金属电极可采用人工方法插入;对导电塑料电极,可采用插板机插入,并应保证电极插入地基不扭曲、不折断。

12.3.4 电渗排水法所使用的电源应具有恒流恒压输出、间歇通电和极性转换等功能。

12.3.5 当电渗排水法与堆载预压、真空预压、强夯等方法联合使用时,相关方法的施工可按本规范相应章节的规定执行。

12.3.6 开始正式通电前,人员必须全部撤出电渗处理场地。在通电期间,必须穿隔水绝缘胶鞋方可进入场地;当电源电压高于60V时,任何人员进入场地时必须穿高绝缘等级的防水劳动保护胶鞋。

12.4 质 量 检 验

12.4.1 金属电极布设前,应进行外观检查,其表面不得锈蚀;对于导电塑料电极,应检测其导电性能;当导电塑料电极兼做排水通道时,尚应检测其渗透性。

12.4.2 电渗施工过程中应对地表沉降或分层沉降、电渗排水情况、总电流值、电压值进行监测。工程需要时也宜对处理区外侧的边桩位移、周边建筑物的位移和沉降进行监测。

12.4.3 监测仪器的数量及布设应符合设计要求。监测仪器应在电极布设之后布置。

12.4.4 各监测项目的监测频率宜符合下列规定:

　　1 地表沉降在电渗处理初期应每天监测 1 次,中后期应每 3d~4d 监测 1 次;

　　2 其余监测项目在电渗处理初期应每 1d~2d 监测 1 次,中后期应每 3d~5d 监测 1 次;

　　3 电渗处理区周围有建筑物和地下管线时,或采用电渗与其他方法联合处理地基时,宜对侧向位移加密观测;

　　4 出现异常情况时应加密观测。

12. 4. 5 地基电渗处理前、后应进行现场原位强度检测并在现场取土进行室内试验,检验电渗处理的效果。对重要或大型工程尚应进行加固后的地基承载力检测。竣工验收检验点的数量应根据场地复杂程度和重要性确定。对简单场地,当场地处理面积大于1000m² 时,每 300m² 不应少于一处。对复杂场地应增加检验点数,检验深度不应小于设计处理深度。

12. 4. 6 电渗处理前的地基土检测应在布设电极前进行,加固后的检测应在电渗结束 3d～5d 后进行。

附录 A 预压地基固结度、沉降量及稳定验算计算方法

A.0.1 瞬时加荷条件下,地基的平均总应力固结度、竖向平均应力固结度和径向平均应力固结度可按下列公式计算:

$$U_{rz} = 1 - (1 - U_z)(1 - U_r) \qquad (A.0.1-1)$$

$$U_z = 1 - \frac{1}{1 + \gamma_{ab}} \frac{16}{\pi^2} \sum_{m=1}^{\infty} \exp\left[-(2m-1)^2 \frac{\pi^2}{4} T_v\right]$$

$$\left[\frac{\gamma_{ab}}{(2m-1)^2} - \frac{2(1-\gamma_{ab})}{(2m-1)^3 \pi}(-1)^m\right] \qquad (A.0.1-2)$$

$$U_r = 1 - \exp\left(-\frac{8C_h t}{F(n)d_e^2}\right) \qquad (A.0.1-3)$$

$$T_v = \frac{C_v t}{H^2} \qquad (A.0.1-4)$$

$$F(n) = \frac{n^2}{n^2-1}\ln(n) - \frac{3n^2-1}{4n^2} \qquad (A.0.1-5)$$

$$n = d_e/d_w \qquad (A.0.1-6)$$

$$d_e = \alpha_1 d \qquad (A.0.1-7)$$

$$d_w = \alpha_2 \frac{2(b+\delta)}{\pi} \qquad (A.0.1-8)$$

式中:U_{rz} ——地基的平均总应力固结度;

$\quad U_z$ ——地基的竖向平均应力固结度;

$\quad U_r$ ——地基的径向平均应力固结度;

$\quad \gamma_{ab}$ ——排水面应力与不透水面应力之比,双面排水时 $\gamma_{ab}=1$;

$\quad T_v$ ——时间因子;

$\quad C_h$ ——地基径向(水平)固结系数(cm^2/s);

t ——固结时间(s);

$F(n)$ ——井径比因子;

d_e ——塑料排水板径向排水范围的等效直径(cm);

C_v ——地基竖向固结系数(cm²/s);

H ——排水面至不透水面的垂直距离(cm),对双面排水为土层厚度之半,对单面排水为土层厚度;

n ——井径比;

d_w ——塑料排水板的等效换算直径(cm);

α_1 ——换算系数,正三角形布置时取 1.05,正方形布置时取 1.13;

d ——相邻塑料排水板中心间距(cm);

α_2 ——换算系数,无试验资料时可取 0.75~1.00;

b ——塑料排水板的宽度(cm);

δ ——塑料排水板的厚度(cm)。

A.0.2 分级加荷条件下,地基在某时刻的平均总应力固结度(图 A.0.2)可按下式计算:

$$U_{rz} = \sum_{i=1}^{m} U_{rzi}{}_{\left(t - \frac{T_i^0 + T_i^f}{2}\right)} \frac{P_i}{\Sigma P_i} \qquad (A.0.2)$$

式中: U_{rz} ——地基在 t 时刻的平均总应力固结度;

m ——加荷级数;

$U_{rzi}{}_{\left(t - \frac{T_i^0 + T_i^f}{2}\right)}$ ——瞬时加荷条件下,对应于第 i 级荷载 t 时刻的平均总应力固结度;

t ——计算应力固结度的时间(s);

T_i^0 ——第 i 级荷载加荷的起始时间(s);

T_i^f ——第 i 级荷载加荷的终了时间(s),当计算加荷期间的应力固结度时,T_i^f 应改为 t;

P_i ——第 i 级预压荷载(kPa),当计算加荷期间的应力固结度时,式中 P_i 应为 ΔP_i,ΔP_i 为对应于第 i 级荷载加荷期间 t 时刻的荷载增量。

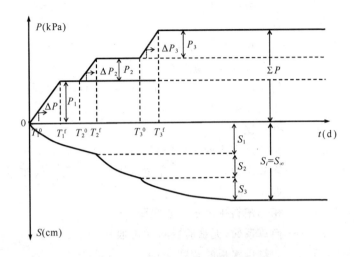

图 A.0.2 分级加荷固结过程示意图

A.0.3 当地基土灵敏度较高、塑料排水板间距较小或塑料排水板打设深度较大时,应计算井阻与涂抹效应对地基应力固结度的影响,可按下列公式计算:

$$U_r = 1 - \exp(-\beta_r t) \tag{A.0.3-1}$$

$$\beta_r = \frac{8C_h}{[F(n) + J + \pi G]d_e^2} \tag{A.0.3-2}$$

$$J = \left(\frac{k_h}{k_s} - 1\right)\ln\lambda \tag{A.0.3-3}$$

$$G = \frac{q_h}{q_w/F_s}\frac{L}{4d_w} \tag{A.0.3-4}$$

$$q_h = k_h\pi d_w L \tag{A.0.3-5}$$

式中：U_r ——地基的径向平均应力固结度;

β_r ——轴对称径向排水固结参数;

t ——固结时间(s);

J ——涂抹因子,当不大于 0.4 时,固结度可按无涂抹影响计算;

G ——井阻因子;

d_e ——塑料排水板径向排水范围的等效直径(cm);

k_h ——地基水平渗透系数(cm/s);

k_s ——涂抹层水平渗透系数(cm/s),宜用扰动土按常规试验方法测定,无试验资料时,渗透系数比 k_h/k_s 可取 1.5~8.0,对 $I_p \geqslant 30$ 的均质高塑限黏土取 1.5~3.0,对非均质粉质黏土取 3.0~5.0,对非均质并具有粉土或细砂微层理结构的可塑性黏土取 5.0~8.0;

λ ——涂抹比,可取 1.5~4.0,施工对地基土扰动小时取低值,扰动较大时取高值;

q_h ——单位水力梯度下,单位时间地基中渗入塑料排水板的水量(cm^3/s);

q_w ——塑料排水板竖向通水量(cm^3/s);

F_s ——安全系数,$L \leqslant 10m$ 时取 4,$10m < L \leqslant 20m$ 时取 5,$L > 20m$ 时取 6;

L ——塑料排水板打设深度(cm);

d_w ——塑料排水板的等效换算直径(cm)。

A.0.4 计算地基某时刻的沉降宜采用应变固结度。土层某时刻的应力固结度与应变固结度可按下列公式转换:

1 采用 $e \sim p$ 压缩曲线时

$$U'_{rz} = \frac{(e_0 - e_t)U_{rz}}{\dfrac{e_0 - e_f}{p_t - p_0}}$$ (A.0.4-1)
$$\frac{}{\dfrac{}{p_f - p_0}}$$

2 采用 $e \sim \lg p$ 压缩曲线时

$$U'_{rz} = \frac{\lg(1 + k_m U_{rz})}{\lg(1 + k_m)}$$ (A.0.4-2)

式中:U'_{rz} ——瞬时加荷条件下 t 时刻土层平均应变固结度;

U_{rz} ——瞬时加荷条件下 t 时刻土层平均应力固结度;

p_0、e_0 —— 天然地基土层中点处的初始有效应力（kPa）及对应的孔隙比，对于分级加荷本级加载情况，p_0、e_0分别为本级加荷之前土层中点处的竖向有效应力（kPa）和其对应的孔隙比；

p_t、e_t —— 固结过程中 t 时刻地基土层中点处的有效应力（kPa）及对应的孔隙比；

p_f、e_f —— 完全固结时，地基土层中点处的有效应力（kPa）及对应的孔隙比，对于 j 级加荷情况，$p_f = \sum_{i=1}^{j} p_i$；

k_m —— $R_m = \sigma_z / \sigma_s$，$\sigma_z$ 为由上覆荷载产生的地基土层中点处的竖向附加应力（kPa），σ_s 为天然地基土层中点处的自重压力（kPa）；对于 j 级加荷情况，σ_s 为加荷前土层中点处的竖向有效应力（kPa）。

A. 0. 5 对于正常固结的地基，预压荷载下地基的沉降量计算应符合下列规定：

1 预压荷载下地基的最终竖向沉降量可按下式计算：

$$S_{d\infty} = m_s \sum_{i=1}^{n} \frac{e_{0i} - e_{1i}}{1 + e_{0i}} h_i \qquad (A. 0. 5)$$

式中：$S_{d\infty}$ —— 地基的最终沉降量设计值（mm）；

m_s —— 经验系数，无地区经验可取 $1.0 \sim 1.3$，荷载较大、地基较软时取高值；

e_{0i} —— 第 i 土层在平均自重压力设计值作用下压缩稳定时的孔隙比设计值，可取均值；

e_{1i} —— 第 i 土层在平均最终压力设计值作用下压缩稳定时的孔隙比设计值，可取均值；

h_i —— 第 i 土层厚度（mm），当土层厚度较大时宜划分若干小层；

n —— 计算压缩土层的分层数量。

2 沉降量计算时，受压层的计算深度可取附加应力与自重应力的比值为 0.1 时的深度。

A.0.6 预压加荷期间的整体稳定验算应符合下列规定。

1 整体稳定验算宜采用圆弧滑动法（图 A.0.6），按下列公式计算：

$$\gamma_0 M_{sd} \leqslant \frac{1}{\gamma_R} M_{Rk} \qquad (A.0.6\text{-}1)$$

$$M_{sd} = \gamma_s \left[\sum (x_R - x_i)(W_{ki} + q_{ki} b_i) \right] \qquad (A.0.6\text{-}2)$$

$$M_{Rk} = \sum (h_i - z_R) \left[(W_{ki} + q_{ki} b_i - u_{ki} b_i) \tan\varphi_{ki} + c_{ki} b_i \right]$$
$$\left[1 + \frac{(h_i' - \tan\varphi_{ki}/\gamma_R)^2}{1 + (\tan\varphi_{ki}/\gamma_R)^2} \right] \qquad (A.0.6\text{-}3)$$

式中：γ_0 ——重要性系数。可根据吹填土地基上后续要建设建筑物或构筑物的安全等级一级、二级、三级分别取 1.1、1.0、0.9；

M_{sd} ——作用于危险滑动面上滑动力矩的设计值（kN·m/m）；

γ_R ——抗力分项系数；

M_{RK} ——危险滑动面上抗滑力矩的标准值（kN·m/m）；

γ_s ——综合分项系数，可取 1.0；

x_R、z_R ——圆心的水平、垂直坐标值（m）；

x_i、h_i ——第 i 土条滑动面上中点的水平、垂直坐标值（m）；

W_{ki} ——第 i 土条重力标准值（kN/m），可取均值，零压线以下用浮重度计算；当有渗流时，滑动力矩设计值 M_{sd} 中计算低水位以上零压线以下部分的重力标准值用饱和重度计算；

q_{ki} ——第 i 土条顶面的可变作用标准值（kN/m²），宜按现行行业标准《港口工程荷载规范》JTJ 215 确定；

b_i ——第 i 土条宽度（m）；

u_{ki} ——第 i 土条滑动面上超静孔隙水压力标准值（kPa），可取均值；

φ_{ki}、c_{ki} ——分别为第 i 土条滑动面上的固结快剪内摩擦角(°)和黏聚力(kPa)标准值,可取均值;

h'_i ——第 i 土条滑动面上中点的一阶导数值。

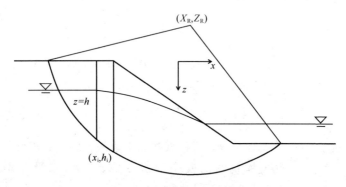

图 A.0.6 稳定验算示意图

2 当采用十字板剪切强度或三轴不固结不排水剪强度等总强度时,式 A.0.6-2 和式 A.0.6-3 中相应土体强度指标应采用十字板剪强度或其他总强度标准值,超静孔隙水压力标准值取零。

3 最小抗力分项系数宜采用表 A.0.6 中的低值。

表 A.0.6 抗力分项系数

强度指标	适用条件	抗力分项系数 γ_R
固结快剪	宜采用	1.3～1.5
十字板剪	宜采用	1.1～1.3
三轴不固结不排水剪	有经验时采用	根据经验取值
快剪(直剪)	有经验时采用	根据经验取值

4 下一级堆载高度计算宜考虑地基土在已经施加荷载下的强度增长。对于正常压密的黏性土,地基土强度增量的标准值可按下式计算:

$$\Delta S_{uk} = U_{rz}\sigma_{zk}\tan\varphi_{cq} \qquad (A.0.6\text{-}4)$$

式中:ΔS_{uk} ——地基土强度增量的标准值(kPa);

U_{rz} ——地基的平均总应力固结度；

σ_{zk} ——地基竖向附加应力标准值(kPa)；

φ_{cq} ——固结快剪内摩擦角标准值(°),可取均值。

附录 B　预压地基最终沉降量及固结度推算

B.0.1　地基的最终沉降量可根据实测沉降资料按下列公式推算：

$$S_t = S_0 + \frac{t}{\alpha + \beta t} \qquad (B.0.1-1)$$

$$S_\infty = S_0 + \frac{1}{\beta} \qquad (B.0.1-2)$$

式中：S_t——满载时间 t 的实测沉降量（mm）；

　　　S_0——满载开始时的实测沉降量（mm）；

　　　t——满载预压时间（s），从满载时刻算起；

　　　S_∞——最终沉降量（mm）；

　　　α、β——计算参数，根据实测资料确定（图 B.0.1）。

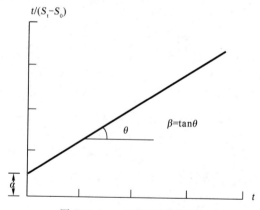

图 B.0.1　α、β 值确定示意图

B.0.2　地基的应变固结度可根据实测沉降资料按下式推算：

$$U'_{rz} = \frac{S_t}{S_\infty} \qquad (B.0.2)$$

式中：U'_{rz} ——t 时刻地基应变固结度；

S_t ——t 时刻的实测沉降量(mm)；

S_∞ ——最终沉降量(mm)。

B.0.3 地基的应力固结度可根据实测孔隙水压力资料按下式推算：

$$U_{rz} = \frac{\Delta u}{P + u_0} \qquad (B.0.3)$$

式中：U_{rz} ——地基应力固结度；

Δu ——预压过程中孔隙水压力消散值(kPa)；

P ——预压荷载(kPa)；

u_0 ——预压前超静孔隙水压力(kPa)。

本规范用词说明

1 为便于在执行本规范条文时区别对待，对要求严格程度不同的用词说明如下：

    1）表示很严格，非这样做不可的：

      正面词采用"必须"，反面词采用"严禁"；

    2）表示严格，在正常情况下均应这样做的：

      正面词采用"应"，反面词采用"不应"或"不得"；

    3）表示允许稍有选择，在条件许可时首先应这样做的：

      正面词采用"宜"，反面词采用"不宜"；

    4）表示有选择，在一定条件下可以这样做的，采用"可"。

2 条文中指明应按其他有关标准执行的写法为："应符合……的规定"或"应按……执行"。

引用标准名录

《建筑地基基础设计规范》GB 50007

《岩土工程勘察规范》GB 50021

《土工试验方法标准》GB/T 50123

《建筑地基基础工程施工质量验收规范》GB 50202

《建筑地基处理技术规范》JGJ 79

《疏浚与吹填工程设计规范》JTS 181 - 5

《疏浚与吹填工程施工规范》JTS 207

《土壤固化剂》CJ/T 3073

《水运工程水工建筑物原型观测技术规范》JTJ 218

《水运工程测量规范》JTS 131

《港口工程荷载规范》JTJ 215

中华人民共和国国家标准

吹填土地基处理技术规范

GB/T 51064 - 2015

条 文 说 明

制 订 说 明

《吹填土地基处理技术规范》GB/T 51064—2015,经住房城乡建设部 2015 年 3 月 8 日以第 781 号文公告批准发布。

本规范在制订过程中,编制组进行了吹填土地基处理技术设计、试验、施工及应用情况的调查研究,总结了我国吹填土地基处理技术设计、施工、检验的实践经验,同时参考了国外先进技术标准,通过试验,取得了大量重要技术参数。

为便于广大设计、施工、科研、高校等单位有关人员在使用本标准时能正确理解和执行条文规定,《吹填土地基处理技术规范》编制组按章、节、条顺序编制了本规范的条文说明,对条文规定的目的、依据以及执行中需注意的有关事项进行了说明。但是本条文说明不具备与规范正文同等的法律效力,仅供使用者作为理解和把握规范规定的参考。

目　　次

1 总 则

1.0.1 随着我国经济高速发展,对土地的需求与日俱增,相应的吹填造陆区域的面积亦日益扩大。由于吹填土的工程性质通常较差,需进行地基处理,加之吹填土土质、场地和使用要求不同,处理面积巨大等原因,在处理中应充分考虑不同处理方法的适用性和经济性问题。因此在对吹填土地基进行处理时,其设计和施工必须认真贯彻执行国家的技术经济政策,做到安全适用、技术先进、经济合理、确保质量、保护环境。

1.0.2 本规范适用于吹填土场地上的建筑、交通、水利等工程软土地基处理。

2 术语和符号

2.1 术 语

2.1.1 吹填土在从我国河北、天津、山东、江苏、上海、浙江到福建、广东、广西等东部、南部沿海诸省均有广泛分布,且伴随着匡围滩涂范围的扩大,分布区域不断增加。随着吹填围垦工程的不断开展,吹填土质也由早期的无黏性粉、砂粒料,逐渐以黏粒含量占主要成分的软黏土为主体。在吹填过程中,泥沙结构遭到破坏,以细小颗粒的形式缓慢沉积,因而使很多吹填土具有塑性指数大、天然含水率和孔隙比大、重度小、压缩性大和渗透性低等特点,从而造成匡围地基渗透、固结特性越来越差,为后续工程使用带来了更大的难度和挑战。因此吹填土区域的地基处理,已成为关乎国计民生的重大系统工程。

2.1.3 无砂垫层由透水软管和透水土工布共同构成,具备一定的透水性能。其取代了以往以中、粗砂作为水平排水垫层的做法,在处理场地上打插塑料排水板后,每隔两排塑料排水板布置一条水平管道,并使用连接器将塑料排水板露出部分紧密连接到水平管道上,使水平向排水板系统和垂直向排水板系统连成一个有机的整体。无砂垫层预压法使得吹填土地基预压排水固结法在无砂或少砂的情况下能够实施,适用于填海造陆的吹填土以及机场跑道、公路、港口、码头岸堤地基处理施工,有较好的加固效果,且节省了铺设砂垫层的大量投入,具有施工工期短,经济节约的优势。

2.1.5 含水率较高的吹填土可在压实前采取翻晒措施,以得到更好的处理效果。

3 基 本 规 定

3.0.4 吹填工程设计时，应根据吹填土的性质、吹填土下卧层厚度、性质及其吹填后建、构筑物对整体地基的沉降影响等综合因素确定场地标高。

3.0.5 对处理后的吹填土地基应进行的设计计算内容给出规定。

处理地基的软弱下卧层验算，对压实、夯实、注浆加固地基及散体材料增强体复合地基等应按压力扩散角，按现行国家标准《建筑地基基础设计规范》GB 50007 的方法验算，对有黏结强度的增强体复合地基，按其荷载传递特性，可按实体深基础法验算。

处理后的地基应满足建（构）筑物承载力、变形和稳定性要求。变形计算应符合现行国家标准《建筑地基基础设计规范》GB 50007 的有关规定。

4 吹填场地形成

4.1 一 般 规 定

4.1.2 吹填工程设计时,对场地标高的确定应根据吹填土的性质、吹填土下卧层厚度、性质及吹填后上部建、构筑物对整体地基的沉降影响等综合因素确定。

4.2 吹填场地形成

4.2.2 吹填区及分区布置在满足工程使用要求的前提下,应合理利用自然条件,尽量减少围堰工程量,降低工程造价,吹填区及分区布置方案还应考虑工期、船舶设备、吹填施工方法、后期地基处理等因素。

4.2.3 利用港口护岸、码头岸壁、人工岛岛壁等水工建筑物作为吹填围堰时,按吹填要求对上述水工建筑物稳定性进行验算。

4.2.4 位于水陆分界线的吹填围堰按永久建筑物设计,吹填区内的隔埝和陆上围堰按临时建筑物设计。

4.2.5 吹填工程设计时,如条件允许,可选定区域进行预吹填试验并采取代表性土样,根据土性选作原位测试项目。初步掌握吹填土特性,为吹填工程设计稳定性、沉降量、吹填土的固结度及超填量计算提供依据,为后续大规模施工创造经验。吹填标高允许偏差可按下表确定。

表 1   吹填标高允许偏差

偏差内容	工程要求和内容	允许偏差(m)
平均偏差	完工后吹填平均高程不允许低于设计吹填标高时	+0.20
平均偏差	完工后吹填平均标高允许有正负偏差时	±0.15

偏差内容	工程要求和内容		允许偏差(m)
最大偏差	未经机械整平	淤泥类土	±0.60
		粉沙、细砂	±0.70
		中、粗砂、砾砂	±0.90
		中、硬质黏性土	±1.00
		砾石	±1.10
	经过机械整平		±0.30

4.2.6 淤泥、浮泥、流泥类吹填土天然重度可根据其饱和含水率用式(1)计算或按下列经验公式(2)计算。

$$\gamma = \frac{G_s(1+0.01\omega)}{1+G_s \times 0.01\omega}\gamma_w \tag{1}$$

$$\gamma = 32.4 - 9.07\lg\omega \tag{2}$$

式中：γ——土的重度(kN/m³)；

γ_w——水的重度(kN/m³)；

ω——土的天然含水率(%)；

G_s——土粒的比重。

4.2.7 吹填土本身的自然沉降量可按本条规定的理论公式计算。在工程实践中，也可根据当地经验数据取值。

4.2.8 吹填后原地基的沉降量采用应力控制法，按吹填土厚度确定计算深度。

4.2.9 吹填场地设计标高，除需考虑吹填过程中正常沉降外，还应考虑吹填后地基处理过程中吹填土沉降、下卧层沉降及施工期的工后沉降、地基处理后建(构)筑物荷载对整体地基影响的沉降等。设计使用标高考虑了允许的平均施工超填高度，避免了因施工中各种因素造成的标高误差，保证场地使用。

4.2.12 吹填施工方式可按下列原则选择：

1 吹填工程应优先采用绞吸挖泥船直接吹填，当取土区与吹

填区的距离超过绞吸挖泥船的有效吹距时,应增设接力泵;

2 当取土区与吹填区距离较远时宜采用挖运吹或挖运抛吹,当采用斗式挖泥船取土时,应注意绞吸挖泥船、吹泥船二次吹填对该类土质的适应性。

4.2.14 吹填围堰结构型式:

1 陆上围堰可采用黏土围堰、砂土围堰、土工织物充填袋围堰和混合材料围堰等结构型式;

2 围海造陆工程的吹填围堰可根据现场条件采用抛石、土工织物充填袋等斜坡式结构型式,也可采用板桩等直立式结构型式。

4.2.15 本条规定就地取土筑堰应在围堰两侧安全距离以外取土,平坦区域取土边线与堰脚的距离不小于 5m,软泥滩上不小于 10m,堰高大于 3m 时,还应适当加大距离。排泥管架两侧 5m 内不得取土,5m~10m 范围内取土深度不大于 1.5m。

4.2.16 分层吹填围堰示意图

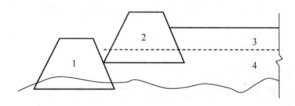

图 1 分层吹填围堰示意图

1——期围堰;2—二期围堰;3—第二层吹填土;4—第一层吹填土

4.2.17 本条规定的围堰堰底清理与处理应根据基底土质进行。如堰基为坚硬土或旧堰基时,可将表面土翻松后再填新土。堰基为淤泥质土时,可采用土工织物、柴排、竹排垫底或施打塑料排水板等方法加固。堰基为砂质土时,可在堰基中间开槽,填以黏土以防管涌等处理方法。

4.2.18 吹填施工的分区分为吹填取土区分区与吹填区分区。取土区分区分层按本条执行。吹填区分区应按吹填质量、工期、吹填后地基处理等要求确定,并分区分阶段施工:

1 工期要求不同时,按合同工期要求进行分区;

2 对吹填土质要求不同或吹填后地基处理方案不同时,按土质要求或地基处理方案分区;

3 吹填区面积较大、原有底质为软淤泥或吹填砂质土中有一定淤泥含量时,按避免底泥推移隆起和防止淤泥集中的要求分区。

4.2.20 在软弱地基上进行吹填,如果吹填速度过快,易促使软弱底泥推移,形成局部淤泥集中及隆起,造成吹填土地基的不均匀性。

4.2.21 吹填区的观测应包括原地面的沉降和吹填土本身的固结沉降观测,围堰的观测应包括围堰的沉降及水平位移、地基的沉降和孔隙水压力。沉降和位移观测的观测周期应根据地质情况及吹填要求确定。

5 吹填场地勘察

5.1 一 般 规 定

5.1.1 说明吹填工程前吹填取土区勘察的必要性和工作任务。查明取土区范围内各种吹填土的分布,结合区域地质、地形、水文、吹填土质及吹填工程量等因素确定取土区的地点和范围,为吹填施工及吹填后地基处理提供原始资料。吹填取土区勘察应根据工程需要进行。对熟悉地区已有的工程地质资料,可分析核实其可靠程度,加以利用。

5.1.2 吹填区勘察分为吹填前场区勘察及吹填后场地勘察。前者主要查明场地工程地质条件,分析作为吹填区场地的适用性。后者需查明经吹填后吹填土的分布及原土层物理力学指标变化情况,为地基处理的设计、施工服务。

5.1.3 列明了吹填区勘察及提供成果资料需针对吹填土处理的原则。

5.1.4 在本规范编制前,目前国内尚未有吹填土的分类,本条说明了根据吹填土特点及针对的工程用途进行分类的原则。

5.2 吹填前场区勘察

5.2.1 吹填前场区勘察应查明在吹填前场区的工程地质情况,尤其是场区的不良地质现象的分布,地下水、透水层的状况,为吹填后地基处理作好前期准备。

5.2.2 本条规定了吹填前场区的勘察工作布置原则。

3 考虑到与相关规范的协调性,吹填前场区勘察采用了现行行业标准《疏浚与吹填工程设计规范》JTS 181－5 勘察工作布置有关内容。

5.2.3 吹填前勘察场区钻孔深度控制主要考虑吹填土沉降影响及原土层承载能力,围堰区要考虑围堰的稳定,本条对钻孔深度给出了控制范围,勘察人员可以根据场地具体情况确定。

5.2.7 本条规定了吹填前勘察报告的内容。在常规勘察报告的基础上,增加了关于吹填区场地评价的相关内容。

5.3 吹填后场地勘察

5.3.1 吹填后场地勘察的重点需查明吹填土分布的均匀性及其水平和垂直方向分布的差异,特殊吹填土的性质等,应对吹填土的处理给出建议。

5.3.2 本条规定了吹填后场地的勘察工作布置原则。

1 吹填后场地勘察应考虑吹填施工时,因吹填管口的位置原因,造成的吹填土在场地形成过程中产生的不均匀性,并进行勘察线、点布置。

3 吹填区吹填后勘察一般不再分阶段进行。吹填后勘察工作布置考虑到经吹填的吹填土可能在水平及垂直向的土的差异性及地基处理所需,参考国家标准《岩土工程勘察规范》GB 50021 场地初设阶段的布置原则,在吹填前勘察的基础上对勘探线、点间距进行了适当加密。

5.3.3 吹填后场地勘察钻孔深度考虑了吹填后吹填土的堆载作用造成下部土层的变化及对吹填土处理的影响作用。

5.3.4 吹填土的勘察方法,应针对不同的物质组成,采用不同的手段。本条列出了主要几种吹填土的勘察方法,勘察人员可根据现场土质、场地等情况综合使用。

2 吹填土为砂土类、粉土类采取土样时一般采取扰动土样进行颗粒分析,必要时采用单动、双动三重管取土装置,采取吹填砂性土土样,确定砂性土密度。

4 采取吹填淤泥、流泥、浮泥土样时,应采用封闭式全柱状取样器、薄壁取土器,采取原状土样。采取原状土样有困难时,采取扰动土样,测定含水率,推算土密度。

5.3.6 吹填后勘察的主要目的是为地基处理服务,应根据地基处理工程的需要有针对的对原位测试和室内试验数据进行整理、分析。对于可能应用的地基处理方法、工艺所需的数据应分析其可靠度,去伪存真,认定无误后方可利用。

5.3.7 吹填后勘察报告主要内容应满足吹填土地基处理工程的需求,对地基处理设计、施工所关心的问题在勘察报告中有所体现。

5.4 吹填土土工试验

5.4.2 吹填土土工试验的试验项目,根据土质按表5.4.2有针对性地选择。

5.4.3 目前的土粒比重经验值按本表采用,吹填粉煤灰比重宜采用试验测定,也可根据地区经验在1.95~2.36之间参考选用。

5.4.4~5.4.7 对吹填区吹填土地基处理影响较大的土工试验项目进行了详细规定,便于试验人员掌握执行。

直接快剪试验由于仪器及操作简单,又有大量实践经验,故在一定条件下可采用,只对其应用范围加以限制。对吹填软土尤需注意其最大荷重试压时,不使试样产生挤出破坏。

近年来,对于吹填软土的现场强度试验,不少探索与实践,如微型十字板剪切试验、袖珍贯入仪贯入试验等。微型十字板仪体积小,重量轻,使用方便、简单,测量速率快,可在10s内测出土的不排水抗剪强度,并与室内无侧限抗压强度试验和三轴不固结不排水剪的成果有很好的相关性。由于其针对吹填软土抗剪强度测定有其他试验方式不具备的优势,目前有关水运工程勘察单位多在试用,本方法可与其他试验方法对比使用。袖珍贯入仪贯入试验测试吹填软土强度相关资料较少,可视现场需要进行,积累经验,并与其他试验成果对比后使用。

5.4.8~5.4.9 规定了吹填土土工试验成果整理与试验报告的编

写程序与内容,对于小型、简单的土工试验的试验报告也可采用土工试验成果总表形式,在适当栏目对试验过程及相关问题加以说明并应附试验相关图表。

5.5 吹填土分类

5.5.1 吹填土的类别主要基于吹填土地基处理方法划分。对于粗颗粒类别可以考虑强夯、堆载预压、快速压实等方法。细颗粒土则应考虑吹填土的排水,适用于真空预压、固化等方法。混合土作为一种特殊土组单列,应根据土的组成、分布情况,选择适当的处理方法。

5.5.4 混合土由粗、细两类土呈混合状态存在,具有颗粒级配不连续、中间粒组颗含粒量极少、级配曲线中间段极为平缓等特征,其不均匀系数大于 30。混合土作为一种特殊土,在吹填工程中经常遇到,其成因一为原土层在自然环境下沉积形成,吹填至吹填场地;成因二是由于疏浚吹填施工中将两类不同土性的土质混合吹填至吹填场地。由于吹填混合土在地基处理的方法选用上的特殊性,故将其单列一类别。其分类原则按行业标准《港口岩土工程勘察规范》JTS 133-1 执行。

5.5.6 根据吹填土性质、分类与不同地基处理方法的工艺特点,结合多年来地基处理技术人员施工经验,列出了不同地基处理方法对各种吹填土类别的适应性,便于施工人员对照使用。压实法按工艺分为碾压法、振动压实法和冲击碾压法,表中所列为振动压实法适用土类。而碾压适用于地下水位以上强度较高的吹填土的压实;冲击碾压法适用于处理深度要求高、施工时间短的吹填土地基。

6 压 实 法

6.1 一 般 规 定

6.1.2 冲击碾压技术源于 20 世纪中期,我国于 1995 年由南非引入。目前我国国产的冲击压路机数量已达数百台。由曲线为边而构成的正多边形冲击轮在位能落差与行驶动能相结合下对工作面进行静压、揉搓、冲击,其高振幅、低频率冲击碾压使工作面下深层土石的密实度不断增加,受冲压土体逐渐接近于弹性状态,是大面积土石方工程压实技术的新发展。与一般压路机相比,考虑土料、摊铺、平整的工序等因素其压实效率提高 3 倍~4 倍。

6.1.3 压实吹填土地基包括压实填土及其下部天然土层两部分。压实吹填土地基的变形包括压实吹填土及其下部天然土层的变形。压实填土需按设计要求进行分层压实,对其吹填性质和施工质量有严格控制,其承载力和变形需满足地基设计要求。

6.2 设 计

6.2.2 对于一般的吹填土,可用 8t~10t 的平碾或 12t 的羊足碾,每层铺土厚度 300mm 左右,碾压 8 遍~12 遍。对饱和吹填土进行表面压实,可考虑适当的排水措施以加快土体固结。对于淤泥及淤泥质吹填土,一般应予挖除或者结合碾压进行挤淤充填,先堆土、块石和片石等,然后用机械压入置换和挤出淤泥,堆积碾压分层进行,直到将淤泥挤出、置换完毕为止。

采用粉质黏土和黏粒含量大于 10% 的粉土作填料时,填料的含水率至关重要。在一定的压实功下,填料在最优含水率时,干密度可达最大值,压实效果最好。填料的含水率太大,容易压成"橡皮土",应将其适当晾干后再分层压实。填料的含水率太小,土颗粒之间的阻力大,则不易压实。当填料含水率小于12%时,应将其适当增湿。压实填土施工前,应在现场选取有代表性的填料进行击实试验,测定其最优含水率,用以指导施工。

土的最大干密度试验有室内试验和现场试验两种,室内试验应严格按现行国家标准《土工试验方法标准》GB/T 50123的有关规定,轻型和重型击实设备应严格限定其使用范围。以细颗粒土作填料的压实填土,一般采用环刀取样检验其质量。而以粗颗粒砂石作填料的压实填土,当室内试验结果不能正确评价现场土料的最大干密度时,不能按检验细颗粒土的方法采用环刀取样,应在现场对土料作不同击实功下的击实试验(根据土料性质取不同含水率),采用灌水法和灌砂法测定其密度,并按其最大干密度作为控制干密度。

6.3 施 工

6.3.3 压实吹填土层底面下卧层的土质,对压实填土地基的变形有直接影响,为消除隐患,铺填料前,首先应查明并清除场地内填土层底面以下耕土和软弱土层。压实设备选定后,应在现场通过试验确定分层填料的虚铺厚度和分层压实的遍数,取得必要的施工参数后,再进行压实填土的施工,以确保压实填土的施工质量。压实设备施工对下卧层的饱和土体易产生扰动时可在填土底部设置碎石盲沟。

6.3.6、6.3.7 在建设期间,压实填土场地阻碍原地表水的畅通排泄往往很难避免,但遇到此种情况时,应根据当地地形及时修筑雨水截水沟、排水盲沟等,疏通排水系统,使雨水或地下水顺利排走。对填土高度较大的边坡应重视排水对边坡稳定性的影响。设置在压实填土场地的上、下水管道,由于材料及施工等原因,管道渗漏的可能性很大,应采取必要的防渗漏措施。

6.3.8 冲击碾压施工应考虑对居民、建(构)筑物等周围环境可能带来的影响。可采取以下两种减振隔振措施:

（1）开挖宽 0.5m、深 1.5m 左右的隔振沟进行隔振；

（2）降低冲击压路机的行驶速度，增加冲压遍数。

6.4 质 量 检 验

6.4.5 当采用静载荷试验检验压实填土的承载力时，应考虑压板尺寸与压实填土厚度的关系。压实填土厚度大，承压板尺寸也要相应增大，或采取分层检验。否则，检验结果只能反映上层或某一深度范围内压实填土的承载力。为保证静载荷试验的有效性，静载荷试验承压板的边长或直径不应小于压实地基检验厚度的 1/3，且不应小于 1m。

7 堆载预压法

7.1 一般规定

7.1.1 对于强度较低和压缩性较高的黏性吹填土,宜采用塑料排水板等竖向排水预压法处理,对于固结情况和力学性质较好的砂性吹填土,可采用直接或加设横向排水层堆载预压法。对于呈流塑状态,具有很高的含水率和极低的强度,且承载力极小的淤泥、淤泥质黏土、污泥可采用无砂垫层法。

7.1.2 通过勘察查明土层在水平和竖直方向的分布、层理变化,查明透水层的位置、地下水类型及水源补给情况等;通过土工试验确定土层的先期固结压力、孔隙比与固结压力的关系、渗透系数、固结系数、三轴试验抗剪强度指标以及原位十字板抗剪强度等。

7.2 设 计

7.2.1 对深厚软黏土地基,应设置塑料排水板等排水竖向排水体。当吹填软土层厚度不大或吹填软土层含较多薄粉砂夹层,且固结速率能满足工期要求时,可不设置排水竖向排水体。当吹填土层呈流塑状态或在无砂少砂地区施工时可采用无砂垫层法。

7.2.5 分级加载时根据堆载材料的密度,换算成相应散料的每级堆载高度,堆载控制指标宜满足下列条件:最大竖向变形量不应超过 $10mm/d \sim 15mm/d$;边缘水平位移不应大于 $4mm/d$;孔隙水压力不超过预压荷载所产生应力的 $50\% \sim 60\%$。

7.2.6 塑料排水板的等效孔径问题一直是工程界重点讨论的问题,对于吹填土来说,等效孔径小于 $0.075mm$(以 O_{95} 计)的塑料排水板常常会发生淤堵。这是由于吹填土的颗粒是悬浮的,更容易移动,在排水板外形成泥饼。近几年的工程实践表明,采用比较大的等效孔径的塑料排水板,吹填土的加固效果更有保证,即使吹填土的细颗粒透过滤膜进入到排水板内部,也会被真空泵抽走,不会影响工程质量。目前天津地区常用的防淤堵排水板的等效孔径采用 0.05mm~0.12mm(以 O_{95} 计)。

7.2.11 砂垫层砂料宜用中粗砂,含泥量应小于 5%,砂料中可混有少量粒径小于 50mm 的砾石。砂垫层的干密度应大于 $1.5g/cm^3$,其渗透系数不宜大于 $1×10^{-2}cm/s$。中粗砂垫层应严格按要求分层摊铺,尽可能减少"拱淤"现象。

7.2.12、7.2.13 无砂垫层施工在浙江温州、台州地区得到有效实践及应用,经证明是一种加固大面积高压缩性吹填土地基的行之有效的方法,因此这两条增加了对无砂垫层施工技术要求的描述。

7.3 施 工

7.3.3 插板机后退施插排水板,避免插板机把排水板芯压入地面。

7.3.4 在排水板打设过程中,及时用砂或干土将排水板孔填土并捣实。水平排水管与排水板靠地面的板头相连,一行排水板铺设一根排水管,排水管外壁即连接部位宜包裹一层无纺布,避免淤泥渗入排水管中,保证排水通畅。

7.3.5 对地基垂直沉降、水平位移和孔隙水压力等应逐日观测并做好记录,一般加载控制指标是:地基最大下沉量不宜超过 10mm/d;水平位移不宜大于 4mm/d;孔隙水压力不超过预压荷载所产生应力的 50%~60%。通常情况下,加载在 60kPa 以前,加荷速度可不受限制。

在土质发生剧烈变化的区域采取堆筑高于地面 0.3m,宽 1m虚土方的方法,减缓土质急剧变化段沉降差。

7.3.6 本条款对无砂垫层施工的关键点及相应施工工艺进行了

描述。无纺土工布可以防止吹填淤泥涂抹和堵塞水平排水管道，使排水通畅。

7.3.7 本条款对覆水预压施工中极易形成裂缝的防治方法进行说明。

8 真空预压法

8.1 一 般 规 定

8.1.2 当需加固的土层有粉土、粉细砂或中粗砂等透水透气层时,采取密封措施常用打设黏土密封墙、开挖换填、垂直铺设密封膜穿过透水透气层等方法。对于流泥,有时采用真空预压处理后地基土强度仍然较低,需要通过现场试验确定其适用性。

8.1.3 大量的工程经验表明,在距真空预压边界 15m 范围内会产生较为明显的沉降,20m 以外沉降和侧向位移会较小。

8.1.7 真空预压需要达到的应变固结度是根据地基允许沉降和差异沉降的使用要求而定的。现行行业标准《建筑地基处理技术规范》JGJ 79 中规定真空预压排水竖井范围内土层的固结度应大于 90%,现行行业标准《真空预压加固软土地基技术规程》JTS 147-2 中规定卸载时加固深度范围内地基平均总应变固结度不宜小于 80%。真空预压后期固结度增长缓慢,因此,在满足地基允许沉降和差异沉降要求的情况下,可适当降低对固结度的要求,以减少抽真空时间,节约造价。

8.2 设 计

8.2.2 对于淤泥及淤泥质黏土,按目前的施工工艺,膜下真空荷载能达到 85kPa 以上,当加固区周边条件复杂需要采取黏土密封墙等措施时,膜下真空荷载一般也能达到 80kPa。

8.2.3 残余沉降量是指地基加固后在长期使用荷载下发生的沉降量,设计要求地基的残余沉降量不能影响构筑物的正常使用。

8.2.6 由于预压初期,地基在真空预压荷载下的沉降量较大,而该部分沉降量不会对地基失稳造成影响。工程实践经验表明,在真空和联合堆载期间,地基的沉降速率在 30mm/d 以下较好。

8.2.8 中砂或粗砂中的含泥量是指公称粒径不大于 0.08mm 的颗粒质量占砂料总质量的百分比。现行行业标准《建筑地基处理技术规范》JGJ 79 中规定水平排水砂垫层的厚度不应小于 500mm,现行的中国土工合成材料工程协会主编的《塑料排水带地基设计规程》CTAG 02-97 中规定水平排水砂垫层的厚度应大于 0.4m。天津港地区真空预压及真空联合堆载预压工程中水平排水砂垫层的厚度多采用 0.4m,均取得了满意的加固效果。针对砂资源的紧张情况,调查结果显示,有采用排水盲沟代替砂垫层作为水平排水通道的工程实例,也取得了较理想的加固效果。

8.2.10 基于固结理论,加固时间与排水距离的平方成反比,塑料排水板间距越小,真空预压加固时间越短。采用真空预压法加固的吹填土多为低渗透性土,塑料排水板间距一般不超过 1.1m。同时吹填土已经是重塑土,不怕扰动,因此减小排水板间距对缩短加固时间应该有一定效果,但是塑料排水板打设费用会增加很多,目前工程中应用的最小间距为 0.7m,因此真空预压常用的塑料排水板间距为 0.7m~1.1m。

8.2.12 打设塑料排水板前先铺设一层塑料编织布,主要是为了尽量减少吹填土对排水板板头和滤管的污染,确保排水通畅;密封铺膜前再铺设一层无纺土工布,主要是为了防止连接好的塑料排水板和水平滤管扎破密封膜。另外上下 2 层布对膜下真空度的传递非常有利。

8.2.15 工程实践证明,当黏土密封墙的黏粒含量大于 15% 时,渗透系数小于 1×10^{-5} cm/s,可以起到密封的作用。

8.2.17 为保护密封膜,其上不能直接堆载颗粒较大的粗粒土,一般是先人工铺 0.1m 的中粗砂,再人工铺 0.9m 的碎石屑等细料,人工铺填材料可根据现场情况选择,只要不破坏密封膜即可。

8.2.18 目前抽真空设备种类较多,尽管有些功率小的抽真空设备在进气孔封闭时也可以形成不小于 95kPa 的真空压力,但是在有水气补充的情况下,抽真空效果不理想,规范推荐采用功率不低于 7.5kW 的抽真空设备。

8.2.19 每台抽真空设备控制面积是以功率不低于 7.5kW 考虑的,根据工程经验,抽真空设备的功率低于 7.5kW 时,加固效果不易保证。多项工程实际运行结果表明,施工后期抽真空设备开启数量在 80% 以上时,施工质量较好。

8.2.20 新吹填土表层承载力很低,直接铺设砂垫层很困难,且打设塑料排水板时容易产生翻浆冒泥现象,为此提出了二次处理的方法。实际工程表明,二次处理的方法可有效解决上述问题,效果比较理想。

8.3 施 工

8.3.6 密封沟内的塑料排水板不能剪断,需要同水平排水垫层相连通,否则会影响密封沟处的加固效果。

8.4 质 量 检 验

8.4.1 通过对条文所列项目的施工监控结果分析,可以为确定卸载时间提供依据。

8.4.3 对于真空预压处理的吹填土地基,现场原位强度检测的内容主要为十字板剪切试验检测、现场静力触探检测等。

9 强 夯 法

9.1 一 般 规 定

9.1.1~9.1.3 强夯法(包括强夯置换法、降水强夯法)是反复将夯锤(质量一般为 10t~40t,目前国内最大为 75t)提到一定高度使其自由落下(落距一般为 10m~30m),给地基以冲击和振动能量,从而提高地基承载力并降低其压缩性,改善地基性能。

降水强夯法是先采用降水方法使地下水位降低,对地基土进行浅层加固,并形成表层硬层,再采用低能级强夯进行深层加固。该法对上海、江苏、浙江、山东、福建、广东、广西等沿江沿河地区特有的夹砂饱和黏性土地基处理效果较好,施工时必须根据土层条件采用合理的降水工艺和强夯工艺,保证地下水位降至设计要求才能进行强夯施工。

强夯置换法是采用在夯坑内回填块石、碎石等粗颗粒材料,用夯锤连续夯击形成密实置换墩。目前已用于堆场、公路、机场、房屋建筑、油罐等工程,一般效果良好。但个别工程因设计、施工不当,加固后出现下沉较大或墩体与墩间土下沉不均的情况。因此,特别强调采用强夯置换法前,必须通过现场试验确定其适用性和处理效果,否则不得采用。

吹填土一般为颗粒较细的黏性土、砂土,颗粒细、含水率大、固结时间短。随着吹填设备的进步,在我国港工工程中,也出现了如防城港 20 万吨级进港航道工程,采用"天鲸"号吹填施工,吹填土的粒径已经达到了 100mm~300mm,甚至更大的"超粒径"吹填土。同时,国内多个吹填土工程中,江浙地区多采用直接在吹填土上进行处理作为建设用地。广东、广西、福建、山东等还有相当一部分工程是底部在海域中用吹填土,出水面以后在表层回填一定厚度的开山石或粗粒土。因此,吹填土工程中面临的地基处理问题也是多种多样,本章考虑到这些工程的特点结合强夯法的要求分别进行了论述。

强夯法经济高效,节能环保,适用土类广,在我国自 20 世纪 70 年代引进此法后迅速在全国推广应用。强夯法已在工程中得到广泛的应用,有关强夯机理的研究也在不断深入,并取得了一批研究成果。目前,国内强夯工程应用夯击能已经达到 18000kN·m,在软土地区和吹填土工程中开发的降水强夯法和在湿陷性黄土地区普遍采用的增湿强夯,解决了工程中地基处理问题,同时拓宽了强夯法应用范围,但还没有一套成熟的设计计算方法。因此,规定强夯施工前,应在施工现场有代表性的场地上进行试夯或试验性施工。

9.2 设 计

9.2.2 土体有效加固深度既是反映地基处理效果的重要参数,又是选择地基处理方案的重要依据。在强夯法中,有效加固深度不仅是上部结构基础设计的主要依据,而且对强夯主夯能级的确定、夯点布设、加固的均匀性等参数起着决定作用。当没有经验或初步设计时,对吹填土地基可按表 9.2.2 预估有效加固深度。因为吹填土地基的特殊性,当单击夯击能 E 大于 6000kN·m 时,强夯的有效加固深度应通过试验确定。

9.2.4 应根据基础埋深和试夯时所测得的夯沉量,确定起夯面标高、夯坑回填方式和夯后标高;夯沉量宜满足下列条件:

(1)最后两击的平均夯沉量宜符合表 2 的要求,当单击夯击能 E 大于 6000kN·m 时,应通过试验确定;

表 2 强夯与强夯置换法最后两击平均夯沉量

单击夯击能 E (kN·m)	最后两击平均夯沉量不大于以下数值(mm)		
	强夯法	强夯置换法	降水强夯法
$E<4000$	50	100	100
$4000{\leqslant}E<6000$	100	150	150

(2)夯坑周围地面不应发生过大的隆起；

(3)不因夯坑过深而发生提锤困难。

9.2.8 降水强夯法处理地基应设置合理的降水系统和排水系统。排水系统宜采用施工区域四周挖明沟，并设置集水井。降水深度及降水持续时间应根据土质条件和地基有效加固深度要求来确定，并在降水施工期间对地下水位进行动态监测(宜每天 2～3次)，严格控制强夯施工时地下水位达到规定的深度，且稳定2d后方可拔管施工。

此外降水强夯法夯击设计应符合下列规定：

(1)夯击次数与夯击能是低能量强夯设计中的一个重要参数，原则是结合地基加固要求使土的竖向压缩变形最大而水平位移最小。单击夯能不宜过大也不能太小，过大易破坏下卧原状土的结构，过小则无法有效加固下卧软土层，对于不同地基土来说夯击能与夯击次数也不同，应根据场地的具体情况来定。第一遍夯击能应较小，但不应小于400kN·m，夯击击数为1击～3击，第二遍夯击能为第一遍夯能的1.5倍～3倍，击数1击～3击。具体夯击能应按场地情况及通过试夯来确定。

(2)两遍夯击之间应有一定的时间间隔，应根据超静孔隙水压力的消散和软土结构恢复情况进行确定。土中超静孔隙水压力的消散速率与土的类别、夯点间距等因素有关，有条件时最好能在试夯前埋设孔隙水压力监测传感器，通过试夯确定超静孔隙水压力的消散时间，一般要求在超静孔隙水压力消散80%，且间隔时间5d～15d后即可进行下一遍强夯。

9.2.9 强夯置换墩材料应选用质地坚硬、性能稳定、无腐蚀性和放射性危害的粗颗粒材料。强夯置换地基的变形宜按单墩承受的荷载，采用单墩静载荷试验确定的变形模量计算加固区的地基变形，对墩下地基土的变形可按置换墩材料的压力扩散角计算传至墩下土层的附加应力，按现行国家标准《建筑地基基础设计规范》GB 50007 的有关规定计算确定。

9.2.10 强夯置换有效加固深度为墩长和墩底压密土厚度之和,在缺少试验资料或经验时强夯置换墩长度应符合表 3 的规定:

表 3   强夯置换墩长度

主夯击能 $E(kN \cdot m)$	置换墩长度 $L(m)$
3000	3～4
6000	5～6
8000	6～7

考虑到设计人员选择地基处理方法的需要,有必要提出强夯置换有效加固深度,特别是墩长的预估方法。根据大量工程实例的统计,采用列表的形式,针对高饱和度粉土、软塑至流塑状态的黏性土、有软弱下卧层的填土等细颗粒土地基(实际工程多为表层有 2m～6m 的粗粒料回填,下卧 3m～15m 吹填土、淤泥或淤泥质土),本规范根据全国各地 50 余项工程或项目实测资料的归纳总结(见图 2),提出了强夯置换主夯能级与墩长的建议值(见表 3)。

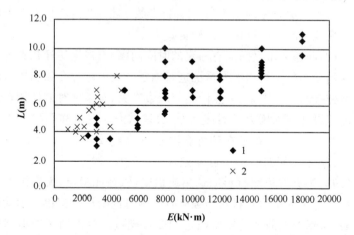

图 2   强夯置换主夯击能级与置换墩长度实测值关系图

1—近年工程实测数据

2—国家标准《建筑地基基础设计规范》GB 50007—2002 中提供的工程数据

初步选择时也可以根据地层条件选择墩长,然后参照本表选择强夯置换的能级,而后必须通过试夯确定。同时考虑到近年来,沿海和内陆高填方场地地基采用 10000kN·m 以上能级强夯法的工程越来越多,积累了大量实测资料,将单击夯击能范围扩展到了 18000kN·m,可满足当前绝大多数工程的需要。

需要注意的是图 2 中的能级为主夯能级。对于强夯置换法,为了增加置换墩的长度,工艺设计的一套能级中第一遍(工程中叫主夯)的能级最大,第二遍次之或与第一遍相同。每一遍施工填料后都会产生或长或短的夯墩。实践证明,主夯夯点的置换墩长要比后续几遍大。因此,工程中所讲的夯墩长度指的是主夯夯点的夯墩长度。对于强夯置换法,主夯击能指的是第一遍夯击能,是决定置换墩长度的夯击能,即决定有效加固深度的夯击能。

9.3　施　　工

9.3.2　强夯前要求拟加固的现场表层地基土具有一定的承载力,能够支承起重设备,必要时可铺设垫层。垫层能够使夯击能得到扩散,向深度方向传递;同时也可加大地下水位与地表面的距离,以免夯击成"弹簧土"。直接在吹填土上施工时也可使用路基箱(板)以防止履带下陷。铺设的垫层不宜含有黏上,垫层的厚度约为 0.5m～2.0m,垫层材料一般为中砂、粗砂、砂砾、山皮土、煤渣、建筑垃圾或性能稳定的工业废料。

9.3.7　如地表层为黏性土或粉性土且地下水位较高的情况,宜采用人工降低地下水位,或在地表层铺设一定厚度的松散性材料。加固区周围亦应设置排水沟,若加固区边长大于 30m 时,中间应设置网格形排水沟,最大排水距离为 15m。另外,如果发现有地下水上升到夯坑中,则应设法将地下水降低或排除后再进行夯击,以免造成夯击能量的损失。

9.3.8　本条是强夯置换处理吹填土地基的施工要求:强夯置换夯锤可选用圆柱形,锤底静接地压力值可取 80kPa～200kPa。当表土松软时应铺设一层厚为 1m～2m 的砂石施工垫层以便施工机具运转。随着置换墩的加深,被挤出的软土渐多,夯点周围地面渐高,先铺的施工垫层在向夯坑中填料时往往被推入坑中成了填料,施工层越来越薄,因此,施工中须不断地在夯点周围加厚施工垫层,避免地面松软。

9.4 质 量 检 验

9.4.1 施工过程中应有专人负责监测工作。首先,应检查夯锤质量和落距,因为若夯锤使用过久,往往因底面磨损而使质量减小,落距未达到设计要求,也将影响单击夯击能;其次,夯点放线错误情况常有发生,因此,在每遍夯击前,均应对夯点放线进行认真复核;此外,在施工过程中还必须认真检查每个夯点的夯击次数和量测每击的夯沉量。对强夯置换尚应检查置换坑深度。本条要求施工过程由专人监测,是由下列原因决定的:

(1)若落距未达到设计要求,将影响单击夯击能。落距计算应从起夯面算至落锤时的锤底高度。

(2)由于强夯置换过程中容易造成夯点变位,所以应及时复核。

(3)夯击击数、夯沉量和填料量对加固效果有着直接的影响,应严加监测。

(4)振动监测:当场地周围有对振动敏感的精密仪器、设备、建筑物或有其他需要时宜进行振动监测。测点布置应根据监测目的和现场情况确定,可在振动强度较大区域内的建筑物基础或地面上布设观测点,并对其振动速度峰值和主振频率进行监测,具体控制标准及监测方法可参照现行国家标准《爆破安全规程》GB 6722执行。对于居民区、工业集中区,振动可能影响人居环境,宜参照现行国家标准《城市区域环境振动标准》GB 10070 和《城市区域环境振动测量方法》GB 10071 的有关规定执行。经监测,振动超过规范允许值时可采取减振隔振措施。施工时,在作业区一定范围设置安全禁戒,防止非作业人员、车辆误入作业区而受到伤害。

(5)噪声监测:在噪声保护要求较高区域内用锤击法沉桩或有其他需要时可进行噪声监测。噪声的控制标准和监测方法可分别按现行国家标准《建筑施工场界噪声限值》GB 12523 和《建筑施工场界噪声测量方法》GB 12524 的有关规定执行。

9.4.3、9.4.4　强夯和降水强夯法处理后的地基竣工验收时,承载力的检验除了静载试验外,对细颗粒土尚应选择标准贯入试验、静力触探试验等原位检测方法和室内土工试验进行综合检测评价;对粗颗粒土尚应选择标准贯入试验、动力触探试验等原位检测方法进行综合检测评价。强夯置换处理后的地基竣工验收时,承载力的检验除了单墩静载试验或单墩复合地基静载试验外,尚应采用重型或超重型动力触探、钻探检测置换墩的墩长、着底情况、密度随深度的变化情况,必要时应检测墩间土的物理力学指标,达到综合评价目的。

10 振动水冲法

10.1 一般规定

10.1.1 一般认为不加填料的振冲密实法仅适用于处理黏粒含量小于10％的粗砂、中砂吹填土地基。在国内的一些成功案例（见表4）表明只要采用正确的振冲工艺和施工参数，采用无填料振冲密实法加固饱和粉细砂地基可以取得明显的加固效果。

表4 应用无填料振冲法的国内工程

工 程 名 称	地基土类型	振冲最大深度(m)	施工年份
福州国际机场口岸园区地基处理	细砂	6	1997
上海港外高桥四期部分工程	粉细砂	7	2002
上海洋山深水港一期工程	粉细砂	15	2004
洋山深水港集装箱堆场	粉细砂	5.5	2006
冀东南堡油田1号人工端岛	粉砂	8.1	2007
陕西榆林迁建机场跑道工程	粉细砂	5	2008
包西铁路榆林车站职工公寓楼地基加固	细砂	9	2010

振冲置换法对于黏性土除了置换作用外，还有竖向排水通道作用；对于砂土除了置换作用外，还有振密挤密作用。

10.2 设 计

10.2.2 在振冲置换过程中，对桩间土有挤密加固作用，承载力的提高比值，有学者建议为：对于黏性土取1.0～1.3；砂土、粉土、粗粒填土取1.2～2.0。现行行业标准《建筑地基处理技术规范》JGJ 79建议为：对于黏性土取1.0；砂土、粉土取1.2～1.5。上海某振冲碎石桩复合地基，桩间土饱和粉土的标贯击数从4击提高到7

击,提高比值 1.75,根据上海地区的经验公式,地基承载力特征值从 60kPa 提高到 100kPa。

建议根据现场原位测试结果按当地经验换算加固后桩间土的承载力与压缩模量,是因为载荷板试验只能确定浅层地基的承载力,静力触探和标准贯入等原位测试方法可以较方便地确定深层桩间土在加固前后的变化情况,各地有不少利用原位测试结果确定地基承载力与压缩模量的方法可以借鉴,由于换算地基承载力与压缩模量的经验公式不同,按相同原位测试结果换算加固后的桩间土承载力与压缩模量也会不同。

编制现行行业标准《建筑地基处理技术规范》JGJ 79 搜集到的实测桩土应力比多数为 2~5,其中软黏土的应力比上限为 4~6,规范建议桩土应力比可取 2~4。现行行业标准《公路路基设计规范》JTG D30 建议桩土应力比可取 2~5。由于吹填土通常为欠固结,应力比会相对高一些,因此建议取 2~5。

现行行业标准《港口工程地基规范》JTS 147-1 考虑港口工程遇到的吹填软土强度较低,土坡稳定安全系数比一般建筑工程小等因素,并认为复合地基机理研究尚不成熟,因此为安全起见,建议计算土坡稳定时的应力比取 1~2。既有试验结果表明:原土强度越小,应力比越高,因此上述解释说服力不强;同时采用这个取值,振冲置换法加固吹填软土的作用几乎没有。现行行业标准《公路路基设计规范》JTG D30 中关于设有粒料桩的路堤整体稳定安全系数计算时,对滑动面处的桩体应力取值未作折减要求。

对于稳定性验算,振冲置换桩主要承受填土等柔性荷载,其受力特点是:桩顶的应力集中可导致向填土产生较小的刺入变形,从而减小应力比,因为一般桩土应力比是在基础或荷载板(刚性荷载)条件下得到的。由于散体材料桩的桩顶应力水平不高、刺入变形很小,这种应力比的折减幅度也很小。通过数值模拟和简化计算取折减 3/4 也是偏安全的。

用复合土层抗剪强度指标值进行地基承载力验算时,应注意加固区主要在基底以下区域。根据地基极限承载力理论,地基承载力除了与基底以下土有关外,还与基础外的地基土有关,现有承载力公式无法区分,直接应用会导致计算结果明显偏大,因此需要修正。

置换桩体材料含泥量得到有效控制时,本身就是良好的竖向排水通道,对于吹填软土初始承载力低,考虑加载过程中的排水固结、强度增长对于优化设计非常重要;但是由于桩距较大,会影响排水固结速度,必要时可以考虑在桩间设置排水通道。

10.3 施　　工

10.3.1　由于粉、细砂土常具有毛细水黏结力,在振冲过程中孔壁不容易坍塌充当填料,加之形成的流态区较大、排水固结慢,因此无填料振冲密实的效果长期不被认可。近几年来,随着振冲经验的积累,振冲技术、设备的发展,对粉、细砂土进行无填料振冲也可取得较理想的密实效果。主要技术措施除了 10.3.1 中的一些操作要点外,还有:(1)当地下水位较低时,应提前 2h~3h 分区灌水浸泡;(2)适当往振冲孔内辅助填砂密实。对于双机、三机共振施工相对单机施工的效果,可以根据设计要求酌情考虑(具体见表 5 和表 6)。

表 5　上海某工程不同振冲工艺静力触探比贯入阻力结果 p_s 值对比

深度 (m)	振冲前 p_s (MPa)	单点振冲后 39d		双点振冲后 34d			三点振冲后 34d		
		p_s (MPa)	p_s增加的百分比(与振冲前相比)	p_s (MPa)	p_s增加的百分比		p_s (MPa)	p_s增加的百分比	
					与振冲前相比	与单点振冲比		与振冲前相比	与单点振冲比
0~1.0	1.39	2.98	114%	3.22	132%	8.0%	3.14	126%	5.4%
1.0~4	1.93	5.08	163%	6.48	236%	27.5%	7.10	268%	39.7%

表 6　上海某工程不同振冲工艺标准贯入试验结果 $N_{63.5}$ 对比

深度 (m)	振冲前 $N_{63.5}$ (击)	单点振冲后 39d		双点振冲后 34d			三点振冲后 34d		
		$N_{63.5}$ (击)	$N_{63.5}$增加的百分比(与振冲前相比)	$N_{63.5}$ (击)	$N_{63.5}$增加的百分比		$N_{63.5}$ (击)	$N_{63.5}$增加的百分比	
					与振冲前相比	与单点振冲比		与振冲前相比	与单点振冲比
0～1.0	4.4	12.2	177%	12.1	175%	−0.8%	11.9	170%	−2.5%
1.0～4	7.9	20.7	162%	22.4	184%	8.2%	23.0	197%	11.1%

10.3.2　振冲置换法施工质量好坏,主要与密实电流、填料量和留振时间等施工参数直接相关,这些参数又与土层土质条件、设计要求、施工设备有关。对于大型、重要工程,得由现场试桩试验确定,至于中小型工程,施工前难以进行试桩试验,应借鉴类似工程经验,细心确定施工参数。

11 固 化 法

11.1 一 般 规 定

11.1.1 目前,吹填土地基中采用固化法处理的实践案例还不多。对于高含水率的吹填土地基,固化法通常宜在场地晾晒一定时间后再开展。

11.1.3 固化剂是一种能将砂土、黏土、淤泥软基、生活垃圾等固化,并增强土体的强度,提高承载力,增加抗渗、抗冻性能的一种新型建筑胶凝材料。固化剂按产品外观,分为液粉固化剂与粉状固化剂:液粉固化剂是由无机盐配制成的溶液,在现场将适量水泥、石灰和粉煤灰掺入土壤中,能改善和提高土壤技术性能的液体和粉状材料;粉状固化剂是由粉状无机盐、水泥、石灰和粉煤灰混合均匀掺入土中,能改善和提高土壤技术性能的混合材料。常用的固化剂有以下几类:

(1)石灰水泥类无机固化剂。固化机理是结合土壤中的水分、形成胶凝成分来胶结土壤,堵塞土壤的毛细结构,从而形成强度和稳定性。

此类固化剂固化吹填土的早期强度不高,且由于固化剂加入量较大,形成胶凝的过程会产生较大的变形,固化土容易干缩,形成裂缝,破坏结构,影响水稳定性。

(2)矿渣类干粉土壤固化剂。固化机理是利用活性激发成分促进固化剂水化和产生胶结土壤颗粒的胶凝物质,并且在一定程度上激发土壤颗粒本身的活性,在固化剂和土壤颗粒之间进一步形成有效的作用力,并且保留部分活性成分,在较长的时间内稳定地增加强度。

此类固化剂采用的是水硬性成分,防水抗冻性能较好,但适用的土壤类型有限。

（3）高聚类离子土壤固化剂。固化机理是利用聚合物交联形成立体结构包裹和胶结土粒，或者利用表面活性剂改变土粒表面亲水性质，形成有效的抗水能力，在土壤压实的基础上，可以得到较好的抗压强度。

此类固化剂一般采用水溶液的形态与土混合，施工方便；加入催化聚合成分或者直接利用土壤成分来实现交联，固化土的早期强度和后期稳定强度均可以满足要求；适用的土壤类型比较多，适应性比较好，但抗水性能比较差，遇水强度急剧降低。

（4）电离子溶液类固化剂。固化机理是利用强离子来破坏土壤颗粒表面的双电层结构，减弱土壤表面与水的化学作用力，并且从根本上改变土壤颗粒的表面性质，使其趋于憎水性，在压力作用下使得土壤形成强度和良好的抗水性能，其中还包括一定的离子交换促使土壤具备一些活性，从而促进土壤的稳定和强度。此类固化剂施工需要的用水量比较大，对土壤成分有一定的要求。

11.3 施　　工

11.3.1　管内混合处理法是在吹填土输送管道上设置固化剂添加口，将固化剂与吹填土在输送管道内进行混合后排放至吹填场地的固化处理方法，该方法通常采用液体固化剂；场地混合处理法是吹填土在纳填场地静置排干明水并经晾晒后，往吹填土中添加固化剂，拌和形成固化吹填土混合料的固化处理方法。目前，国内浅层固化吹填土的施工除常见的管内混合处理法和场地混合处理法两种类型外，也还有一些其他工艺：

（1）吹填土固化预处理回填工艺，该方法主要是通过对吹填土的固化预处理（沉淀、固化、浓缩、脱水、干燥等环节）后再将固化土运至目标纳填场地填筑的工艺，吹填土的固化预处理可通过设置预处理静置场地或带有成套设备预处理工厂来完成；

（2）先固后吹工艺，该方法主要是通过就地往原料土中加入固化剂,改变原有土料的土团颗粒架构,形成粗颗粒土团,再用吹填工艺排放至纳填场地。

11.3.5～11.3.8 管内混合处理法在我国吹填土固化处理的工程应用刚起步,一些较成熟的施工工法多为国外引进,NTC 渗透压密工法就是其中一种从日本引进的工法,该技术原理是向吹填土中添加以二价和三价铁盐为主要成分的无机药剂 H/C 消水中和剂,当 H/C 药剂与海泥充分混合时,由于 H/C 药剂的电离作用,海泥颗粒中的毛吸管被切断,毛吸管水与间隙水得以释放,从而实现分子级固液分离;再注入高分子凝聚剂,把固液分离后的泥质粒子进行凝聚。该工法的主要工艺流程为:疏浚船绞吸出的海泥,通过输泥管道输送到特定的 JDS 系统中将固化剂与管道内吹填土充分混合并加以特别处理,然后排放到指定的填埋区域,表层余水安全排放。该工法技术已在我国天津、青岛、沈阳等地得到工程应用。

11.4 质 量 检 验

11.4.3 固化剂原材料检测试验项目和方法参照的标准为:细度,参照现行国家标准《水泥细度检验方法》GB/T 1345;固体含量和化学成分,参照现行国家标准《混凝土外加剂匀质性试验办法》GB 8077。原状吹填土检测,参照现行国家标准《土工试验方法标准》GB/T 50123。固化土混合料室内试验,参照标准为:凝结时间和安定性,参照现行行业标准《土壤固化剂》CJ/T 3073;标准击实和抗压强度,参照现行国家标准《土工试验方法标准》GB/T 50123。

11.4.5 施工过程中必须随时检查施工记录和计量记录,检查重点有固化剂用量、浆液配比、加固深度、施工工序的控制以及突发事故的处理情况等。

12　电渗排水法

12.1　一　般　规　定

12.1.1　电渗排水法作为一种软基处理的方法，很早就得到了应用。由于黏土中大部分颗粒表面带有负电荷，在外加直流电场（定向电流）的作用下，土体孔隙中的自由水和离子发生流动，使土体含水率降低，同时土体内离子的交换对土体本身的性质也有一定的改善。后来，该技术逐渐被应用到加固土坡、堤岸、水坝；提高金属摩擦桩的承载能力、减小桩的负摩阻力；提高试验中地锚的抗拔力；提高高灵敏度软弱土对周期荷载的抗力等。土体中的电动现象包括电渗、电泳、离子迁移等。在含水率较大的土体两端施加电位后，土体中的阳离子向阴极移动，这些阳离子同时拖拽水使水朝向阴极运动，这种现象就称为电渗。通电后的土体是一个土—水—电解质系统，电流和水流与梯度间的耦合作用是引起电渗现象的原因，其中涉及了电（场）、带电的黏粒表面和液相的相对运动。

　　实验和实践都已证明，电渗排水法能够在较短的时间内明显减小土体的含水率，提高其不排水抗剪强度并降低其灵敏度。对试样处理前后的先期固结压力的测试结果表明，其处理效果是不可逆的。电渗排水法因其独特的排水机理，为吹填土地基处理提供了新的思路。此法对渗透性低（渗透系数小于 10^{-7} cm/s）、加荷固结缓慢的淤泥、淤泥质土、软黏土（黏粒含量大于 60%）的降排水效果最为显著。它无需加荷，对土体扰动小，还能对高含水率的流塑状泥浆作浓缩处理。这些特点使其在地基处理和环保领域都有着广泛的应用前景。

　　实例：电渗排水法处理湖相淤泥地基

(1)工程概况

待处理的场地面积为 19m×15m,地基土为吹填淤泥,平均厚度 5.8m。其基本物理力学参数见表 7。土中小于 0.005mm 的黏粒含量约 72%,小于 0.002mm 的胶粒含量为 65%。

地基处理方案为采用某种导电塑料排水板进行电渗处理。该导电塑料排水板的结构形式与普通塑料排水板相同,其材料为一种导电塑料,在电渗过程中不腐蚀,既作为电渗的电极,又兼作排水通道。

采用电渗专用直流电源。该电源包含有控制程序,使电源具有电压、电流、电极转换和间歇通电的自动控制功能以及数据实时显示和自动记录功能,可在恒流、恒压两种模式下工作,且可随时切换,并具有过载保护等安全措施。

表 7　吹填淤泥的物理力学参数

液限 (%)	塑限 (%)	塑性指数	含水率 (%)	干密度 (g/cm³)	比重	渗透系数 (cm/s)
50	22	28	62	1.03	2.61	$1.95×10^{-7}$

(2)电极布设与电渗处理过程简述

采用的电极间距为 1m,正方形布置,电极插入深度 6m,总计布设了共 19×15=285 根导电塑料排水板。整个场地共计为 8 个电渗回路。正式电渗从 2012 年 8 月 15 日开始,有效电渗天数为 21 天。分为两个阶段:

第一阶段:2012 年 8 月 15 日至 8 月 24 日,采用小功率电源,恒流模式通电;从 8 月 25 日起,因为电流较小,转为恒压模式通电,至 8 月 26 日排水效果已差,暂停电渗;

第二阶段:从 2012 年 9 月 16 日开始,采用大功率电源,恒压模式通电,排水效果明显优于之前的小功率电源。至 9 月 25 日电渗排水效果已差,结束电渗。

(3)电渗处理效果

电渗处理结束后的现场测试和室内土工试验结果表明,经过仅 21 天的电渗排水,地基土含水率从 62% 下降到平均 36%;干密度从 1.03 g/cm³ 提高到 1.20 g/cm³ ～ 1.50 g/cm³;十字板剪切强度从近于 0 提高到 25.5kPa;地基承载力从近于 0 提高到平均 74kPa。由于采用了电渗专用电源和高效的电渗工艺,电渗能耗不大(5.2 kW·h/m³)。

12.1.2 过去用于电渗的电极一般采用铁、铜、铝等金属材料。其优点是电阻率低,初期导电效率高。但缺点也很明显,主要是在电渗过程中,由于电化学反应容易引起金属阳极的腐蚀,使电渗效率逐渐下降。目前已出现非金属可导电材料电极,如导电塑料排水板、碳纤维棒等。

12.1.3 电渗工艺参数主要包括电压梯度、正反向持续通电时间、通电间歇时间等。应重视室内电渗试验结果对于现场施工的指导作用。如果盲目实施电渗,往往会导致该方法的失败。

12.1.6 为了提高工程中静态降排饱和软黏土中的固结速度,可先用电渗方法快速将土层含水率降到 50% 以下之后,在强夯方法可以实施时,可停止电渗,换为强夯密实,以增加地基承载力,降低其压缩性,达到优质、高效、经济的效果。

12.2 设　计

12.2.1 本条建议对分区处理面积按现场可用电源的功率进行确定,主要是出于处理面积对电源功率要求的考虑。分区处理面积过大,需要的单台电源功率很大,使电源尺寸过大,给施工带来不便。具体可按如下步骤确定分区处理面积:

(1)将可用电源总功率除以所采用的电压得到电渗回路的总电流;

(2)将电渗回路的总电流除以单个电渗回路的电流得到总电渗回路数。单个电渗回路电流的确定方法见本规范第 12.2.6 ～ 12.2.8 条;

（3）根据总回路数和单个电渗回路的电极间距确定现场可用电源的处理面积。

12.2.3 有的吹填土场地由于砂源缺乏或者因地面水位较高而无法铺设水平排水砂垫层。在这种情况下，需要结合实际情况，采取有效措施，疏导电渗排水。

12.2.7 本条给出接入电源的母线和单个电渗回路中的导线的参考横截面积，主要是基于经济性考虑。母线的价格很高，横截面积越大，成本越高。

12.3 施 工

12.3.5 为了保持电渗高效排水，在电渗过程中的不同阶段，需要使电源保持恒定电流输出、恒定电压输出等不同模式。同时，还需要方便地实现电极正、负极性的转换。

12.4 质 量 检 验

12.4.2 通过对条文所列项目的施工监控结果的分析，可以为确定电渗结束时间提供依据。当所列监测项目值或者变化值很小，表明电渗已无效果，即可结束电渗。

12.4.5 对于电渗处理的吹填土地基，现场原位检测的内容主要为十字板剪切试验检测、静力触探检测等。

S/N:1580242·730

统一书号：1580242·730

定　　价：26.00元

UDC

中华人民共和国国家标准

P

GB/T 51064－2015

吹填土地基处理技术规范

Technical code for ground treatment of hydraulic fill

2015－03－08 发布　　　　2015－11－01 实施

中华人民共和国住房和城乡建设部
中华人民共和国国家质量监督检验检疫总局　　联合发布